AÇORES

PORTUGAL

AZORES

PORTUGAL

WILLY HEINZELMANN

– Segunda edição 1983
ISBN 3 905266 12 1

© 1980 Willy Heinzelmann, CH 4059 Basileia, Suíça
Autor, fotógrafo e editor
Direitos de reprodução, tradução e adaptação reservados
para todos os países, incluindo U.R.S.S.

Impresso na Suíça

– Second edition 1983
ISBN 3 905266 12 1

© 1980 Willy Heinzelmann, CH 4059 Basle, Switzerland
Author, photographer and publisher
Copyright in all countries including the U.S.S.R.

Printed in Switzerland

ESSAS ILHAS VULCÂNICAS CUJO MISTÉRIO
EVOCA A LENDA DA DESAPARECIDA ATLÂNTIDA

MYSTERY-SHROUDED VOLCANIC ISLANDS
INVOKING THE LEGEND OF LOST ATLANTIS

PRÓLOGO

Açores, fascinante arquipélago perdido no meio do Atlântico, entre a Europa e a América. Nove ilhas cobertas de vegetação luxuriante. Paisagem de sonho num clima temperado. E um povo amigo, rico de tradições. Que perfume de mistério e lenda paira hoje ainda sobre essas terras! Mistério quando a bruma envolvendo as ilhas parece querer escamoteá-las à nossa curiosidade; lenda no mito da Atlântida de que fala Platão: esse continente outrora poderoso e florescente que um formidável cataclismo fizera desaparecer para sempre nos abismos do oceano. Deus, que não quis porém apagar completamente da face da terra o reino da Atlântida, fez emergir das águas os altos picos das montanhas.

As cicatrizes provenientes da actividade vulcânica nos Açores fazem lembrar a lendária Atlântida a cujo afundamento não terão sido estranhas as mesmas forças titânicas. Apesar disso, Deus dotou essas ilhas de uma beleza feiticeira e permitiu que os homens concluissem sua obra. E isso aconteceu graças a um árduo labor, a uma aturada perseverança. As ilhas recompensaram bem os homens: uma vegetação de variedade inimaginável desce

PROLOGUE

Far out in the vast expanse of the Atlantic Ocean, between the European and American continents, lies the fascinating archipelago of the Azores. The nine islands of the group are blessed with luxurious vegetation, a mild climate, a landscape of surpassing beauty, and a people rich in folklore. But more than this, they are clothed in an aura of mystery and legend: the mystery of the haze that rises from the sea as if to veil the islands from our curious eyes; the legend of Atlantis, that once mighty and prosperous continent which – as Plato tells us – a natural disaster of colossal dimensions caused to sink forever to the ocean floor. It is said however that God did not wish the realm of Atlantis to be totally destroyed and so raised the peaks of the highest mountains above the level of the waters.

The scars left by volcanic activity on the Azores do indeed remind us of legendary Atlantis, in whose destruction the same natural forces may well have played a part. God bestowed grace and beauty on the islands however, and left man to complete His work. This came to pass thanks to the inhabitants' industry and perseverance, which

das cristas até aos prados costeiros. A flora oferece uma profusão de matizes sem conta. Pequenas nuvens de vapor evolam-se aqui e além das fendas das rochas atestando a presença latente dos vulcões. Em cada estação do ano, o solo fértil produz hortaliças variadas. As plantações de tabaco com suas típicas folhas rugosas e os arbustos redondos de chá põem um acento pitoresco na paisagem. Os pomares florescem por trás das altas sebes de camélias e, protegidas pelos muros de pedra lavosa, amadurecem uvas dulcíssimas. Nos prados, o reflexo de um azul incomparável dos tufos de hortênsias. Fetos e fetos-arbóreos estendem-se até à praia à mistura com jarros e azáleas de cores berrantes. Um olor de florestas, flores e frutos encanta o forasteiro chegado a esta atmosfera idílica das ilhas fabulosas dos Açores.

the islands seem to have richly rewarded: vegetation of unbelievable variety covers the land from the mountain ridges down to the coastal plains, its multifarious shades of green an eternal source of wonderment to the visitor. Here and there, clouds of steam issue ghostlike from fissures in the rocks, diminutive tokens of the slumbering volcanoes below. The islands' fertile soil allows year-round cultivation of a wide variety of crops. A picturesque note is lent to the landscape by the tea and tobacco plantations, the odd round bushes of the former comparing strangely with the scarred foliage of the latter. Fruit trees blossom behind tall camellias, and sweet grapes ripen in the shelter of walls built of blocks of old lava. The shimmering blue of the hortensia hedges bordering the meadows is a sight never to be forgotten. On the lakeshores the graceful fronds of tree-high ferns compete for our admiration with the glowing hues of azaleas and callas. The newcomer to these legendary and enchanting islands never fails to be captivated by their idyllic charm and the fragrance of their flowers, fruits and forests.

ÍNDICE

CONTENTS

Os artigos deste volume foram redigidos graças à colaboração de:
The articles in this volume have been compiled in collaboration with:

DR. FRANCISCO CARREIRO DA COSTA, PONTA DELGADA
Antigo director da Escola Técnica
Professor do Instituto Universitário dos Açores
Escritor, Etnógrafo, Historiador

JOÃO DA SILVA JÚNIOR, PONTA DELGADA
Escritor, Jornalista, Redactor do Diário dos Açores

ELSBETH HEINZELMANN, BASLE/SWITZERLAND

CONDIÇÕES GEOGRÁFICAS

O arquipélago dos Açores, situado em pleno oceano Atlântico, dista cerca de 1500 quilómetros das costas portuguesas e 4000 quilómetros de Nova Iorque. Com uma superfície de 600 quilómetros, o seu ponto mais alto, a imponente silhueta do Pico, ergue-se a 2351 metros acima do nível do mar. Pérolas disseminadas nas águas atlânticas, as nove ilhas,

dispostas em linha do noroeste ao sueste, estão ligadas por um pedestal basáltico a 1500 quilómetros de

GEOGRAPHY

Far out in the Atlantic Ocean, some 900 miles from the coast of Portugal and 2500 miles from New York, lies the 400-mile long archipelago of the Azores. Its highest point is the imposing mass of Pico, 7750 feet above sea-level. The nine islands of the group, strewn like pearls over the water of the Atlantic, are disposed about a line running roughly in a northwest to southeast direction. At a depth of nearly 5000 feet below the surface of the ocean they are joined by a basalt plinth – evidence of their volcanic origin. Although the islands are similar in many ways geographically, life on them has developed in different ways and given each an individual character. Common to all is a wealth of picturesque features, but each has a different landscape and different culture and traditions.

On the island of Santa Maria, whose name is closely linked with the early history of the Azores, old customs and traditions are particularly well preserved. This is the most southerly and at the same time the most easterly of the islands. Like the others, it is of volcanic origin, but its soil also contains a red clay with a long tradition of use for local pottery. Limestone is likewise found on the island, and is un-

profundidade, testemunha da sua origem vulcâ-nica. Embora semelhantes em múltiplos aspectos geográficos, as ilhas têm um cunho próprio no que se refere ao quadro de vida: cada uma delas exibe sua pitoresca particularidade, tanto na diversidade da paisagem, como da cultura e das tradições.

É sobretudo na ilha de Santa Maria que os usos e costumes puderam subsistir. Seu nome está ligado ao limiar da história do arquipélago. Esta ilha, a mais meridional e ao mesmo tempo a mais oriental dos Açores, ainda que resultante de uma actividade vulcânica, tem solo argiloso, de cor avermelhada, utilizado na cerâmica local de antiga tradição. Aí se encontra igualmente pedra calcária que serve para dar às casas dos Açores essa bela brancura bem me-ridional.

Uma ilha onde se reunem múltiplas formas de acti-vidade vulcânica, é precisamente São Miguel com suas rochas de pedra lavosa de um encanto peculiar, com seus diversos lagos de crateras e fendas de onde saem fumarolas – essa espécie de respiração da terra. Apesar do acesso difícil por causa da costa es-carpada, a maior e mais populosa ilha dos Açores cativa pelo seu clima ameno e equilibrado. Uma ve-getação rica cobre o solo fértil: o calor e a humidade elevada contribuem para o crescimento exuberante

doubtedly one reason for the southern charm of the whitewashed Azores cottages.

Of all the islands, São Miguel shows most striking-ly the manifold signs of earlier volcanic activity – cliffs of old lava, innumerable enchanting lake-filled craters, and smoking fumaroles still exhaling hot air from the depths. In contrast with the forbid-ding inaccessibility of the coastline of this largest and most populous of the islands, it enjoys an attrac-tively equable climate. A fertile soil, warmth and high humidity have produced the rich, subtropical vegetation seen to such advantage not only in the well-kept gardens and parks but also on the island's farmland. The many shades of green exhibited by its fields and meadows have earned São Miguel the name of 'ilha verde'. Although hard-working, the inhabitants enjoy a life as diverse as the island's landscape, the piety of the 'Romaria' pilgrimages contrasting with the colorful elegance of the 'Cavalhadas', or mounted gymkhanas.

Historians might well call Terceira the island of monuments, for it was the scene of a particularly in-teresting chapter in the past of the archipelago. Grim fortresses, peaceful monasteries, old houses with colorful façades and green trelliswork – even the farmhouses and simplest of homes – recall an

da flora subtropical, feérica nos parques e jardins. Isto é também patente nas terras cultivadas: a mancha verde cheia de cambiantes dos prados e dos campos é tão impressionante que São Miguel ganhou o nome de Ilha Verde. Tão diversificada quanto a paisagem é a vida humana: ditada pelo trabalho e pela tenacidade, pela devoção nas romarias, pelos torneios equestres das Cavalhadas cheias de garbo e de cor.

Terceira poderia chamar-se a ilha dos monumentos e dos cronistas, já que foi ali que se escreveu um capítulo particularmente importante da história do arquipélago. As fortalezas arrogantes e os conventos silenciosos, as velhas casas com fachadas coloridas e grades verdes nas janelas, mesmo as quintas e as moradias mais modestas têm uma irradiação pessoal que testemunha de um passado ilustre. Nesta atmosfera sente-se um laivo de exotismo que evoca antigos cargueiros vindos da Ásia e ali ancorados. Alegria e felicidade reinam no Verão quando as ruas se transformam em arenas atraindo de longe espectadores e aficionados da corrida à corda onde não há efusão de sangue. A euforia cede depois o lugar às preces recatadas por ocasião das festas do Divino Espírito Santo.

Graciosa é bem o símbolo do seu próprio nome com

illustrious history. There is something exotic in the atmosphere of the island reminiscent of the sailing ships from the Far East that once lay at anchor here. In summer the streets become an arena for the bloodless 'corrida à corda' and are filled with a jubilant throng of onlookers come from far and wide to admire the daring of the participants. Later, this exuberance gives way to a more serious preoccupation as the time approaches for the religious festivities of the 'Divino Espírito Santo'.

The charming island of Graciosa is indeed well named. Its houses have a friendly look, and the eye is greeted by golden cornfields, vine-clad hillsides and lazily turning windmills. Here the climate is drier and there are fewer streams and no forests. The wildly romantic coastline contrasts with the gentle hills of the interior surrounding the immense chasm of the crater of Furna do Enxofre and its ring of gaunt, bare crags.

São Jorge is a land of shepherds. The endless meadows carpeting the island's hillsides are hedged with hydrangeas and cedars and afford ample grazing for the cattle whose breeding and husbanding are the mainstay of local industry. The local cheese is famous for its delicate aroma. A central mountain ridge divides the island from end to end, and down

suas casas tão encantadoras, seus campos loiros de trigo, as vinhas, e os moinhos de vento rodando calmamente. Aqui, o clima é mais seco, o solo menos rico em ribeiras, desprovido de florestas. Uma região costeira de um romantismo selvagem, alternando com colinas suaves, ao centro das quais se encontra a imensa cratera da Furna do Enxofre emoldurada de picos rochosos, agudos e calvos.

São Jorge é o reino dos pastores. Os prados estendem-se a perder de vista sobre cadeias de colinas onde o gado pasta entre moitas de hortênsias e cedros. A criação de gado e os lacticínios são a actividade rendosa mais importante. O queijo local é célebre pelo seu aroma delicado. Da cadeia central de montanhas que vão de ponta a ponta da ilha, as águas despenham-se impetuosamente por entre matas de loureiros e faias. É a ilha das fajãs, essas línguas de terra contra os precipícios abruptos, onde cresce o inhame de grandes folhas. As casas, bem arranjadas, emolduradas de vinha e pomares dão à ilha de São Jorge um ar de aprazível tranquilidade.

A ponta do Pico, quase sempre rodeada de nuvens, domina majestosa todo o arquipélago. Ténues fumos brancos atestam que o jovem vulcão não cessou ainda completamente a sua actividade. Ao preço de

its flanks the water gushes seawards through thickets of laurel and beech. This is the island of the 'fajãs', terraces thrown up by the sea at the foot of almost vertical cliffs and nurturing the large-leafed ignum. The peaceful aspect of the island owes much to the neat and tidy cottages nestling in their vineyards and orchards.

Dominating the archipelago is the majestic Pico, its summit often hidden in the clouds. Fumaroles with their wisps of white smoke show that this fairly young volcano is not yet entirely at rest. Here the settlers had to break through the burnt crust before they could plant vines and fruit trees in the shadow of piled-up lava. With soil of such poor quality they turned more and more towards the surrounding ocean, with the result that whale-hunting is today not only an adventurous alternative to farming but an indispensable source of income.

In the peaceful bays of Faial the long and narrow whaling boats are less in evidence, but the secure harbor of Horta is important as a favorable anchorage for ships. Inland, the mountainous terrain is devoted to cattle-raising. Faial has earned the name of 'blue island' from the hydrangeas that border the meadows. Its volcanic origin is betrayed by the 'caldeira' in the middle of the island, a roughly circular

um trabalho árduo, os habitantes rebentaram a crosta queimada para poderem cultivar a vinha e os pomares que protegeram com muros soltos de pedra lavosa. E porque o solo é pobre, eles voltaram-se para o mar. A caça da baleia, arriscadíssima, é não só a expressão da necessidade de aventura própria do homem, mas também fonte indispensável de recursos.

Na baía calma do Faial, as compridas e estreitas baleeiras são menos numerosas. Horta é um porto muito bem abrigado. Na ilha montanhosa e escarpada, faz-se também a criação de gado. As pastagens, se-

depression left by a former crater where ferns, heather and juniper grow in profusion. Another striking feature of the island is the 'Capelinhos' on the west coast, the remains of a volcano that emerged from the sea only in recent times.

If the blue of hydrangeas is characteristic of Faial, the outstanding feature of Flores is the ubiquitous many-colored shrubbery that makes the island a flowering paradise. The very beautiful coastline has a multitude of rocky coves topped by grassy slopes, while high above the villages are perched dangerously on precipitous bluffs. Inland, the isle has many aspects – terraced mountainsides, idyllic lakes, streams meandering through valleys filled with lush vegetation of every shade of green. Hydrangeas blossom everywhere, their hues vying with the blue of the ocean and the sky.

To the northwest, the archipelago ends with the little island of Corvo. This too has its origin in a one-time crater, and along the coast rocky cliffs fall steeply to a usually stormy sea. The small population lives in peaceful isolation and is mainly engaged in corn-growing and cattle-raising. Relatively distant from the other islands of the archipelago, Corvo is the subject of many legends. Typical is that which relates of the bronze horseman who stands

paradas por moitas coloridas de hortênsias, valeram ao Faial o cognome de Ilha Azul. O passado vulcânico está aqui bem patente na Caldeira, ao centro, com a imensa cratera quase circular onde crescem o feto, a urze e o zimbro. O imponente vulcão dos Capelinhos emergiu recentemente da profundeza do mar, junto da costa ocidental da ilha. Embora o azul das hortênsias seja muito peculiar ao Faial, os bosques de cor intensa são sobretudo notáveis nas Flores: a ilha é, como o nome indica, um paraíso floral. Ao longo da costa surgem belos quadros alternados de encostas verdejantes, baías profundamente recortadas e aldeias alcandoradas em desafio temerário sobre as escarpas. No interior da ilha, uma multiplicidade de aspectos: montanhas e socalcos sucedem-se a vales, ribeiras e lagos idílicos enquadrados por densa vegetação de diferentes verdes, e uma orla de hortênsias cuja cor se diria competir com o anil do céu e do mar.

A pequena ilha do Corvo que fecha a cadeia do arquipélago, situa-se no extremo noroeste. Sua origem, uma antiga cratera cujas paredes escarpadas descem para o mar quase sempre batidas por vagas impetuosas. A reduzida comunidade que ali vive, isolada mas habituada à paz, ocupa-se sobretudo da cultura do milho e da criação de gado. Corvo, mi-

with outstreched hand on the western tip of the island – perhaps pointing the way for the ships of Phoenician traders? The atmosphere of mystery that invests the island owes much also to the innumerable tales of whale-hunters and pirates.

Possibly one of the reasons why there is so much that is legendary and mysterious about the Azores is that their geological origin has never been fully explained. Oceanologists tell us that the islands lie on three faults running in a southeasterly direction through the mid-Atlantic ridge. This immense submarine mass lies parallel to the African and American coastlines. It is thought to cause the two continents to drift steadily away from one another thanks to the forces released by its continuing volcanic activity.

Again and again in the course of the centuries, the islanders have been reminded by earthquakes and tremors of the dormant terrestrial forces below. In the 16th century, on the island of São Miguel, the then capital of Vila Franco do Campo was destroyed by a severe earthquake followed by streams of volcanic mud, an event that has remained unrecorded by historians. A small tuffaceous crater islet planted with corn and vines now lies off this part of the coast. On the shores of the beautiful Lagoa do

núscula e afastada, está cheia de lendas. Como a desse cavaleiro de bronze que do extremo da ilha aponta para o poente, quem sabe se para indicar a rota aos navios mercantes dos fenícios. Uma série de histórias de caçadores de baleias e de piratas envolve a ilha de um halo místico e lendário.

Isto provém talvez do facto que o véu que cobre a formação do arquipélago não foi ainda completamente levantado. A ciência afirma que o grupo de ilhas assenta sobre três linhas de ruptura indo do sueste ao noroeste sobre a espinha dorsal do Atlântico, essa imensa cadeia do fundo do oceano paralela às costas da África e da América, e que separa constantemente com a sua contínua actividade vulcânica os dois continentes.

Ao longo dos séculos, os abalos sísmicos foram revelando ao homem as forças titânicas do interior da terra. Já no século XVI, terríveis terramotos e correntes de lama destruíram a antiga capital de São Miguel, Vila Franca do Campo, cataclismo que aliás as crónicas não assinalam. Resta ainda uma ilhota de crateras de tufo, frente à costa, onde se cultivam o milho e a vinha. As margens idílicas da Lagoa do Fogo não deixam supor que o fundo coberto de água de um azul profundo expeliu por várias vezes cinzas, pedra-pomes e basalto. A Lagoa Seca, no

Fogo the visitor finds it hard to believe that the floor of the deep blue lake has repeatedly spewed up ash,

pumice and basalt. In 1680, the Lagoa Seca in the picturesque valley of Furnas was the scene of a violent eruption. Reminders of this event are the hot springs, some gushing, some quietly bubbling, and the ghostly fumaroles issuing from fissures in the rocks. In more recent times a brief volcanic episode was staged by the little island of Sabrina lying to the southwest of São Miguel. In 1911 it rose 300 feet out

vale pitoresco das Furnas, foi, em 1630, teatro de uma enorme explosão. As fontes quentes brotam ali ora em cachão caprichoso, ora emitindo um ruído surdo, e as fumarolas escapam-se das fendas da rocha dando ao lugar da antiga erupção um estranho ar de sortilégio. A ilhota Sabrina, a sudoeste de São Miguel, teve vida efémera: em 1811, ergueu-se 90 metros acima do nível do mar para logo se reduzir e desaparecer no ano seguinte.

A formação do vulcão dos Capelinhos, na ponta ocidental do Faial, porque recente (1957–1959), foi seguida atentamente. O vulcão anunciou aliás o espectáculo com uma série de abalos sísmicos de fraca intensidade, seguidos de erupção submarina. Fortes explosões de vapor, areia e escórias, ouvidas nas Flores, a 200 quilómetros, levaram à formação de uma ilhota. O vento soprando do mar cobriu as culturas e as casas com uma camada espessa de cinza. Progressivamente, as forças vulcânicas diminuíram de intensidade e a ilhota afundou-se no mar. Mas, subitamente, o vulcão iria manifestar-se de novo e formar um istmo alongando-se continuamente e ligando-a à costa do Faial. Pensou-se então que a actividade cessara quando, uma noite, de uma nova fenda, começou a sair lava amarelo-avermelhada. A torrente ardente desceu a margem arenosa e lan-

of the ocean, then gradually subsided again until it had disappeared completely by the following year. Quite recently, in the years 1957 to 1959, an event occurred that was followed with great anxiety by the islanders, namely the emergence from the sea, off the most westerly point of Faial, of the Capelinhos volcano. The spectacle was heralded by a series of earth tremors, and the submarine eruption that followed produced extremely violent explosions of steam, sand and slag. The eruption – audible even 120 miles away on Flores – resulted in the formation of an island. At the time the wind was blowing from the sea, so that houses and farms were soon covered with a thick layer of ash. The volcanic activity gradually subsided, and the new island slowly sank below the surface of the ocean again. Later, however, an unheralded fresh eruption occurred, this time with the building of an isthmus linking the volcano with the coast of Faial. Again activity subsided, but hopes that the volcano had become dormant were soon dashed when during one night a fresh fissure opened and began to emit a glowing stream of yellowish-red lava that poured over the beach into the ocean. The frightful hissing of the water as it encountered the hot lava was accompanied by further explosive eruptions of slag. For a whole year after,

çou-se tumultuosa e lúgubre no mar. Enormes explosões de escórias abalaram o fundo enquanto que a lava se ia solidificando à superfície. Entretanto, durante todo o ano seguinte, tremores de terra sacudiam Faial. Mesmo a antiga Caldeira, ao centro da ilha, ameaçou despertar e deixou escapar subitamente fumo. Treze meses após, o vulcão pareceu acalmar-se, se bem que pequenas nuvens de vapor continuassem a sair das encostas do cone principal. Nos anos seguintes, os controlos térmicos e outras observações mostraram que o vulcão ainda não adormeceu inteiramente mas que entrou tão-somente em fase de equilíbrio.

A viva actividade vulcânica dos Açores exprime-se em todo o arquipélago pela silhueta das montanhas e colinas. Assim, a fascinante Caldeira das Sete Cidades, a oeste de São Miguel, deve talvez provir de um vulcão não diferindo do Pico actual. Quando ele se desmoronou, verificou-se uma erosão que alargou a bocarra até ao tamanho de hoje. No interior, os cones de pedra-pomes e cinza têm um carácter peculiar. Um silêncio sepulcral paira sobre a Lagoa nas antigas crateras de Santiago e Rasa. Um dos complexos vulcânicos mais importantes da ilha é a Serra de Água de Pau. Na sua principal cratera, de 6500 metros, a Lagoa do Fogo, cercada de uma pai-

as the lava cooled and solidified, Faial was shaken periodically by tremors, and even the old 'caldeira' in the middle of the island began to emit smoke again. After 13 months the volcano seemed to have become inactive, even though little clouds of smoke occasionally rose from the main cone. During the years that followed, geological observations and temperature measurements showed that although not completely extinct, the volcano had entered a phase of equilibrium.

Evidence of earlier volcanic activity is to be seen everywhere in the Azores, particularly in the bizarre silhouettes of the hills and mountains. Thus the very beautiful 'caldeira' of Sete Cidades in the western part of São Miguel almost certainly had its origin in a volcano not very dissimilar from the Pico we know today. After the volcanic cone had collapsed, erosion widened the crater wall to its present size. Today, the cones of pumice and ash in its interior confer a picturesque aspect on the former crater. Other old craters are those of Santiago and Rasa, now the sites of peaceful lakes. One of the principal volcanic complexes on the island is the Serra de Água de Pau. The wall of the main crater is some four miles long and encloses the Lagoa do Fogo – the Lake of Fire – the center of a very varied landscape

sagem costeira muito variada, tem margens de areia branca, raríssima aqui. Semelhante às Sete Cidades, a Caldeira das Furnas é também composta de diversas unidades vulcânicas. Rochedos escarpados elevam-se do vale arborizado e cultivado cuja densa vegetação subtropical dá às encostas da cratera uma coloração de cambiantes verdes. Por vezes, os testemunhos dos cones vulcânicos de basalto são quase invisíveis como na Baía de São Lourenço, em Santa Maria. Na ilha Terceira, as Caldeiras sucedem-se: a mais imponente é a imensa Achada. Nos túneis da altura de um homem, ao fundo da cratera de Guilherme Moniz, pulsa ainda a lava líquida. Na Graciosa, a cerca de 80 metros sob o fundo da caldeira, existem uma gruta natural com uma fluorescência sulfurosa e uma lagoa.

Todas estas particularidades impressionantes da natureza não são todavia os únicos vestígios do passado vulcânico: ao lado das lavas de basalto e tufo – composição principal do solo insular – encontram-se sedimentos de origem marítima, provenientes de deslocações vulcânicas e tectónicas. Assim, amostras geológicas de Santa Maria revelaram elementos calcários do Miocénio, e um processo em curso de petrificação de moluscos marinhos. Uma outra indicação poderia provir da presença de argila na ilha.

and graced by beaches of white sand, here a rarity. Like the Sete Cidades, the 'caldeira' of Furnas is also composed of a variety of volcanic elements. Rocky cliffs rise steeply from the partly wooded, partly cultivated coomb, the lush green of whose subtropical vegetation adds colour to the old slopes of the crater. Elsewhere the basalt cones revealing former volcanic activity are now barely recognizable, as in the São Lourenço bay of the island of Santa Maria.

On Terceira the 'caldeiras' lie especially close together, the most imposing being the enormous Achada. Under the floor of the crater Guilherme Moniz there are tunnels as high as a man where hot lava still emerges from the depths of the earth. On the island of Graciosa a grotto with a subterranean lake where sulfur effloresces has been discovered at a depth of 250 feet below the floor of the 'caldeira'.

These interesting natural phenomena are not however the sole legacy of the islands' volcanic past. In addition to the basalt lavas and tuffs – the main components of the island substance – we find sedimentary traces of maritime origin, the consequences of volcanic and tectonic displacements. Thus geological study of soil samples from Santa

O barro vermelho presente na vasa profunda do mar é resultante da dissolução de conchas de animálculos marinhos. Estes achados de origem sedimentar não contradizem no entanto a história vulcânica do arquipélago. Dela são hoje ainda testemunhos as fontes quentes, os géiseres e fumarolas, esse turbilhão misterioso de vapor escapando-se de tempos a tempos das fendas das rochas. Em que medida tais fenómenos podem ter tido um efeito positivo sobre a vida dos homens? O vale das Furnas mostra-o bem: o solo quente não serve apenas como forno aromático que empresta à comida, cozinhada durante horas nas covas aquecidas, um sabor requintado. No clima quente e húmido que as fontes e cascatas reforçam, cresce uma vegetação rica e paradisíaca. Nos jardins, alternam palmeiras e eucaliptos com cedros bizarros, bambus de exóticos efeitos com fetos arbóreos. Na Primavera, florescem magníficas azáleas gigantes de tons variados ao lado de camélias delicadas. No antigo parque do hotel Terra Nostra essa vegetação surpreendente atinge foros de apoteose. Árvores gigantes rodeiam a enorme piscina na qual jorra água quente ferruginosa. Cedo já, as propriedades medicinais destas termas foram reconhecidas, razão por que a preciosa água foi canalizada e construído um balneá-

Maria has revealed the presence of calcareous elements from the Miocene along with partly fossilized sea-shells. Further clues have been furnished by the deposits on the sea-floor containing red deep-sea

clay formed from the debris of the shells of microscopic marine fauna. These sedimentary findings thus in no way conflict with the volcanic theory of the origin of the archipelago, evidence of which is amply available in the islands' hot springs, geysers

rio. Os tratamentos são sobretudo indicados contra as afecções reumáticas, perturbações da circulação sanguínea e doenças das vias respiratórias. Em diversos lugares da ilha de São Miguel, como em outras ilhas do arquipélago, há fontes de diferentes temperaturas e diferente composição mineralógica, cujas virtudes são muito apreciadas tanto na terapêutica interna como externa. No conjunto, os Açores são ricos em correntes freáticas. Por vezes, as águas brotam estonteantes, como na banda costeira de São Jorge e das Flores onde as cascatas escumantes se despenham sobre o mar. A abundância de água é proveitosa para a economia: dela usufruem também a agricultura e a indústria, esta, por exemplo, para mover moinhos e para produzir energia. A tais condições hidrológicas vantajosas vem juntar-se um clima temperado. As temperaturas são bem equilibradas: o observatório meteorológico do arquipélago indica médias rondando pelos 17,6°C, variando entre 14,3°C em Fevereiro, o mês mais frio, e 22,3°C em Agosto, o mais quente. A chuva não é rara, sobretudo em Outubro e Janeiro. Em contrapartida, a saraiva só cai excepcionalmente e a neve cobre apenas poucos dias a ponta do Pico. A humidade relativa é assaz elevada, devido à proximidade do mar, situando-se em média a 76%. A

and fumaroles, the sinister coils of smoke that occasionally issue from fissures in the rocks.

That these natural phenomena are sometimes of benefit to the inhabitants is exemplified by the valley of Furnas. Here the warm earth is useful not only as an aromatic oven – local dishes cooked for many hours underground acquire a delicate flavor – but together with the numerous springs and waterfalls is responsible for the mild, damp climate and the consequent splendor of the vegetation. In the gardens, palms, eucalyptus and bizarre-shaped cedars grow alongside exotic bamboo grasses and tree-high ferns. In the Spring bloom the immense, many-colored azaleas and delicate camelias. This wealth of tropical vegetation can be especially admired in the old park of the Terra Nostra Hotel, where the spacious swimming pool, ringed by huge trees, invites the visitor to enjoy its warm, iron-rich water. It is fed by thermal springs whose healing properties were recognized many years ago when the waters were first channelled into curative baths. These are of benefit mainly to sufferers from rheumatic, circulatory and respiratory complaints. On São Miguel, as on other islands of the archipelago, there are springs of varying temperature and composition whose healing properties come into play not only when

vizinhança da Corrente do Golfo, que mantém as águas no Verão a 23 °C e não as deixa arrefecer a menos de cerca de 16 °C, é outra vantagem considerável.

Todos estes aspectos contribuem para o desenvolvimento de uma vegetação profusa que dá a estas ilhas atlânticas seu maravilhoso encanto subtropical.

they are applied externally but drunk in the form of excellent table waters.

The Azores are on the whole well watered, and streams and rivers often form a picturesque part of the landscape, as on São Jorge and Flores, where they cascade down steep cliffs into the sea. The abundance of water is a great aid to agriculture and industry, and is still widely harnessed to drive corn mills and generators. The situation is further favored by the temperate Atlantic climate. How little the temperature varies throughout the seasons is shown by the records of the islands' meteorological stations; the average temperature is 64 °F, the range from 58 °F in February, the coldest month, to 72 °F in August, the warmest. Rain is plentiful, especially in October and January, but hailstorms are happily rare, while snow is seen at the most on the summit of Pico for a few days in winter. On account of the ubiquitous ocean it is not surprising that the relative humidity is fairly high, the average lying at 76%. The islands benefit also from the proximity of the Gulf Stream in that the temperature of the sea stays at around 73 °F in summer and never falls below about 60 °F in winter.

Reasons enough for Nature to have blessed these islands with vegetation of subtropical charm!

DADOS HISTÓRICOS

Quando foi avistada pela primeira vez a silhueta da ilha? A história é obscura a tal respeito. Além de Platão, que descreve o desaparecimento do reino de Atlântida para além das colunas de Hércules, o escritor romano Plínio, o Antigo, fala na sua «Naturalis historia» das ilhas Pluvialia e Capraria que poderão muito bem ser São Miguel e Santa Maria. Outra indicação é dada pela pena ilustre de Plutarco na biografia do experimentado mareante que foi Sertório: ele cita as «Ilhas Atlânticas». Esta é a primeira descrição dos Açores revelando uma espantosa exactidão. Se se der crédito às indicações do numismata sueco Podolyn, navios cartagineses devem ter lançado ferro no Corvo: segundo ele, fortes rajadas de vento oeste puseram a descoberto, em 1749, uma panela de moedas de ouro e cobre cuja origem cirenaica e cartaginesa remontaria ao século III a.C. Nesta ordem de ideias se insere a estátua do cavaleiro lendário, na costa ocidental do Corvo, que, segundo um cronista português, apontaria aos cartagineses o caminho da América. Embora algo fabulosa, a explicação não deixa de ser plausível quando se sabe que os povos da Antiguidade dispunham de conhecimentos náuticos consideráveis, mesmo se os

HISTORY

At what epoche of the world's history seafarers first saw the silhouette of the Azores rising on the horizon remains a mystery. Plato relates of the sunken empire of Atlantis lying somewhere beyond the Pillars of Hercules, the Roman Pliny the Elder – in his 'Naturalis historia' – of the islands Pluvialia and Capraria, which his description suggests might be today's São Miguel and Santa Maria. Further evidence from an equally illustrious pen is Plutarch's reference, in his biography of the great seafarer Sertorius, to the 'Atlantic Islands', which can be identified with surprising certainty as the Azores. If we can believe the Swedish numismatist Podolyn, the ships of the Carthaginians had already anchored off the island we now know as Corvo. According to Podolyn, in 1749 a violent westerly gale resulted in the unearthing of a pot containing gold and silver coins of Cyrenaic and Carthaginian origin from the 3rd century B.C. Here we find a connection with the legendary horseman who, according to Portuguese historians, stood on the west coast of Corvo pointing the Carthaginians the way to America. This is probably pure fantasy, but on the other hand we know that the ancients disposed of very considerable

Gregos e os Romanos, fracos na arte de marear, se limitassem à navegação costeira. Além disso, o marinheiro e cartógrafo árabe Edrisi notou, na sua cartografia do século XII, seis estátuas equestres semelhantes. O italiano Pizigano desenhou na sua carta de 1367 um cavaleiro no lugar do Corvo.

Com D. Dinis, o rei português mais importante da Idade Média, começa a era aventureira dos descobrimentos. Na corte, nos alvores do século XIV, encontram-se peritos em técnicas náuticas, entre os quais o genovês Emmanuele Pessagno. É muito provável que tenha sido este quem descobriu, aquando de suas expedições atlânticas, o arquipélago dos Açores. Todavia, a sua descoberta iria cair no esquecimento até que cerca de um século mais tarde o Príncipe Henrique toma a seu cargo a chefia da navegação portuguesa. Na sua célebre escola de Sagres, no extremo sudoeste de Portugal, ele rodeia-se dos mais sabedores homens de ciência e oceanógrafos da época. As narrações de historiadores da Antiguidade incitam-no certamente a procurar o caminho marítimo para a Índia contornando a África. Quanto à situação dos Açores, o Infante D. Henrique, o Navegador, recorreu aos conhecimentos geográficos e a um mapa-mundo que seu irmão D. Pedro adquirira no curso de uma viagem.

nautical experience – this despite the impression given by the meager maritime skill of the Greeks and Romans that the ancient seafarers did little more than hug the coastline. It is significant that the maps of the 12th century Arab navigator and cartographer Edrisi show six such horsemen, while that of the Italian Pizigano, dated 1367, shows one at the point where the island of Corvo lies.

With Dom Dinis, the most famous of the kings of Portugal in the Middle Ages, began the adventurous epoque of the voyages of discovery. Among the experienced navigators who frequented his court was the Genoese Emmanuele Pessagno, and it is almost certain that this sailor hit upon the Azores during one of his Atlantic voyages. His discovery seems, however, to have remained overlooked up to the time when the Infante Dom Henrique – better known as Prince Henry the Navigator – took control of the destinies of Portuguese seafaring. In his famous school of geography at Sagres, at the southwest tip of Portugal, he gathered around him the most able explorers and navigators of the day. His great ambition was to find an ocean route to India by circumnavigation of Africa, perhaps prompted by the accounts of ancient chroniclers. As for the Azores, he needed only to make use of existing

D. Henrique aproveitou ainda dos ensinamentos do cartógrafo judeu Jafuda Cresquez, cujo pai, Abraão, notara já, em 1375, os Açores em seu «Atlas catalão».

A data em que a expedição organizada sob as ordens do Príncipe alcançou a costa do arquipélago continua envolta em mistério. Na carta Valsequa, figuram já em 1439 as ilhas com legendas, mas, por ironia da sorte, são precisamente o ano da desco-

knowledge, in particular a map of the world brought back from a journey by his brother Pedro and the lore of the Jewish cartographer Jafuda Cresquez, the 'Catalonian Atlas' of whose father Abraham, dated 1375, already bore mention of the islands.

At what precise date the expedition commissioned by the Prince reached the Azores is not known. Although the islands are named on the Valsequa map of 1439, the date of their discovery by the expedition and the name of the leader are almost obliterated – an irony of fate – by ink spilt on the map by George Sand when the authoress visited the Count of Montenegro on Majorca in the winter of 1839. What is reasonably certain is that in 1427 a ship commanded by Diogo de Silves, possibly on the way back from Madeira, reached the Azores and that this is why the eastern and middle islands were already well known in 1439. A writ of the King of Portugal bearing this date conferred on Prince Henry the right to colonize seven islands. Between these two dates the Prince dispatched several preliminary expeditions with orders to set domestic animals free. It could well be that these were the journeys undertaken in 1431 and 1432 by Frei Gonçalo Velho, on whom the Prince conferred the rank of captain with the task of begin-

berta e o nome do descobridor que um borrão de tinta derramada por George Sand quando de uma visita ao conde de Montenegro, em Maiorca, no Inverno de 1839, tornaria ilegíveis. É de creer que em 1427 um barco comandado por Diogo de Silves, provavelmente no regresso da Madeira, tenha tocado nos Açores, o que explica que as ilhas do levante e do centro já fossem bem conhecidas em 1439. Um documento real desse mesmo ano dá ao Príncipe Henrique o direito de ocupar as sete ilhas. Entre ambas as datas, ele ordena expedições de exploração com ordem de para lá serem levados animais domésticos. Essas viagens devem-se ter efectuado em 1431 e 1432, sob o comando de Frei Gonçalo Velho. O Infante nomeia-o capitão e a colonização começa então sob as suas ordens. O descobrimento das duas últimas ilhas, Flores e Corvo, deve-se provavelmente a Diogo do Teive, em 1452. A lei das Sesmarias, promulgada em 1375 por D. Fernando, define as condições de ocupação do solo: todo aquele que não cultivar ele próprio a terra que lhe pertença, deve pô-la à disposição de outrem para que ele o faça, sob pena de a ver confiscada. Os recém-chegados são sobretudo originários das províncias meridionais de Portugal. Seguem-se-lhes emigrantes flamengos: Jácomo de Bruges, homem

ning colonization. The last two islands, Flores and Corvo, were discovered by Diogo do Teive, probably in 1452. That the opening up of the islands proceeded in orderly fashion was ensured by the so-called 'Sesmarias', a law enacted in 1375 by Dom Fernando which decreed that any landowner failing to cultivate his land must – on pain of forfeiture – allow someone else to cultivate it. The first settlers, mainly Portuguese from the southern provinces, were soon followed by Flemish immigrants. One of these was Jacôme de Bruges, a follower of the Prince, who obtained permission to settle on Terceira, a bold enterprise he paid for out of his own means. Graciosa was settled by Vasco Gil Sodré and his family. The flood of Flemish immigrants swelled still further when hundreds of artisans from Flanders installed themselves on Faial at the instigation of Captain Josse van Hurtere, who was thereupon appointed Governor of Faial and Pico. Getting a foothold on the archipelago was a daunting task. The previously uninhabited islands were covered with luxuriant and largely impenetrable vegetation, and the settlers often lacked proper implements for clearing and cultivating the land. An improvement in this respect first came when Rui Gonçalves de Câmara, son of Zarco the Navigator,

da confiança do Príncipe, pede autorização para se fixar na Terceira, e financia ele próprio a empresa. Vasco Gil Sodré vai com a família para a Graciosa. A vaga de emigrantes flamengos aumenta depois com a chegada ao Faial de centenas de artífices da Flandres comandados pelo capitão Josse van Hurtere, nomeado depois administrador das ilhas do Faial e do Pico.

Fixar-se nestas ilhas constitui um verdadeiro desafio: o arquipélago inabitado está coberto duma vegetação tão densa que a penetração é impossível. Os meios para a desarborização e a cultura subsequente escasseiam quase sempre. Quando, em 1474, Rui Gonçalves da Câmara, filho de Zarco, o descobridor da Madeira, tomou a capitania de São Miguel, verifica-se o primeiro surto económico. As relações de parentesco atraem numerosos madeirenses; braços árabes e negros ajudam também a lavrar a terra. Mal uma nesga é desarborizada, começa o aproveitamento da madeira, a instalação de estaleiros de construção naval e a plantação progressiva de trigo, cevada, cana-de-açúcar e batata--doce. O trigo, sobretudo, dá-se tão bem que nos séculos XV e XVI chega para remediar a penúria cerealífera da metrópole. Em 1480, Guilherme van der Haegen não se limita à fixação de um grande nú-

the discoverer of Madeira, was appointed Governor of São Miguel in 1474. The link with Madeira resulted in the influx of many settlers from that island, and with Arab and Negro help the islands slowly became fertile. Clearing of the land yielded timber that could be used for boat-building, and step by step came the planting of wheat, barley, sugar-cane and sweet potatoes. Cereals in particular flourished so well that in the 15th and 16th centuries the islands were able to help solve the problem of feeding the inhabitants of the mother country. In 1480, Willem van der Haegen not only settled on São Jorge with a large number of his compatriots but included in his baggage from Flanders the woad plant. For a time its cultivation and the trade in the extract – then much used in dyeing – brought additional prosperity to the islanders, but this ended abruptly with the arrival of indigo from Brazil.

In the meantime, the Iberian powers had found it necessary to come to an agreement delineating the spheres of sovereignty of Portugal and Castile. This was the treaty of Tordesillas, drawn up in 1494 between João II and the Spanish sovereigns Ferdinand and Isabella. For the Portuguese monarch this was a masterly diplomatic stroke, for it meant that his ships could sail unmolested round the Cape of

34

mero de compatriotas na ilha de São Jorge: ele traz consigo, da Holanda, o pastel-dos-tintureiros. A preciosa planta tintória dá uma grande prosperidade que irá cessar bruscamente com o aparecimento do índigo do Brasil.

Entretanto, faz-se sentir na Península Ibérica a necessidade de concluir um tratado que fixe definitivamente as fronteiras da soberania das coroas portuguesa e castelhana. Em 1494, era enfim assinado o Tratado de Tordesilhas entre D. João II e os reis católicos Fernando e Isabel, de Espanha. A habilidade diplomática do monarca português pode ser considerada brilhante: o tratado garantia aos seus mareantes o contorno do Cabo da Boa Esperança para a abertura do caminho marítimo para o Oriente. Os Açores oferecem um ponto de escala ideal para as expedições aventureiras nas águas incertas do Atlântico. Cristóvão Colombo, assim como Vasco da Gama e os navegadores em rota para o Brasil lançam âncora aqui. Em 1492, João Fernandes, da Terceira, navegador mas também agricultor, chega às costas da Gronelândia. Seis anos mais tarde, em companhia do italiano Caboto que, ao serviço da coroa inglesa, procura um caminho para a Ásia, ele volta à Gronelândia. Caboto baptiza-a Terra do Labrador em homenagem ao

Good Hope in their attempts to open up an ocean route to the Far East. As for the Azores, the archipelago furnished an almost perfect base for adventurous voyages in the unknown waters of the North Atlantic, and Christopher Columbus, Vasco da Gama and many travellers to Brazil all dropped anchor here. In 1492, João Fernandes of Terceira, seafarer and farmer alike, set out on a voyage of discovery that took him to the coast of Greenland. Six years later, he joined forces with the Italian Cabot, then in the service of the English throne, who believed a way to Asia lay in northerly waters. Together they reached Greenland, to which Cabot gave the name 'Labrador' – Portuguese for farmer – in honour of his Azorean companion. Around 1500, it was again a settler from Terceira, the seafarer Gaspar Corte-Real, who discovered Newfoundland. Soon, Portuguese fishermen were sailing every year to the Newfoundland coast to fish for 'bacalhau', or cod, a dish to be found in innumerable variations on every Portuguese bill of fare. The opportunity of reporting personally to King Manuel I on the rich store of geographical and ethnological knowledge his journey furnished was denied to Gaspar Corte-Real, for his caravel, like that of his brother Miguel who later sailed in search of him, foundered in unknown wa-

açoreano. Outro terceirense, Gaspar Corte-Real, atinge a Terra Nova, por volta de 1500, em cujas águas costeiras os pescadores lusitanos irão anualmente pescar o bacalhau, especialidade da cozinha regional portuguesa. Gaspar Corte-Real não pôde infelizmente informar pessoalmente o rei D. Manuel I dos ricos conhecimentos geográficos e etnográficos adquiridos no decurso da viagem: a sua caravela, como, mais tarde, a do irmão Miguel que o procurava, desapareceram misteriosamente. Já no reinado de D. João II, a rota das caravelas vindas do Golfo do Guiné passava pelos Açores: é o traçado da Volta da Mina. Em vez de seguirem a costa africana, os navegadores arriscavam-se ao mar alto para serem impelidos, automaticamente, pelos ventos do oeste, na direcção da costa portuguesa. O comércio intenso do qual os Açores se tornam a placa giratória, cria novas tendências espirituais e culturais que vão levar provavelmente, em 1534, à criação da diocese de Angra pelo papa Paulo III. A fim de melhor compreender a história das ilhas no seu conjunto, é indispensável uma visão dos acontecimentos que se desenrolam na mãe-pátria. A crise provocada pela morte do rei D. Sebastião na batalha de Alcácer Quibir, em 1578, e as disputas para a sucessão deram origem, dois anos mais tarde, à to-

ters. In the reign of D. João II, caravels returning from the Gulf of Guinea had already found they could reach home, not by hugging the African coast, but by sailing far out into the Atlantic as far as the Azores – the so-called 'Volta da Mina' route. Somewhere off the archipelago they were met by westerly winds that carried them almost directly to the Portuguese coast.

By now the Azores had become a trading center of importance, and inevitably the spiritual and cultural life of the islanders had greatly developed, to an extent that led Pope Paul III in 1534 to establish a diocese there with its seat at Angra on the island of Terceira.

mada de Lisboa por Filipe II, de Espanha. Se bem que o monarca invasor prometa nas cortes respeitar as instituições do país, o povo sente que o perigo o espreita com a perda da liberdade e da identidade nacional. D. António, Prior do Crato, fazendo valer seus direitos de parentesco reivindica o trono e retira-se para a Terceira a fim de organizar a resistência. Ajudado por Catarina de Médicis – é curioso notar que o prior lhe ofereceu o Brasil em retribuição – ele reúne uma armada francesa. O regente espanhol que não havia ainda tomado a sério o adversário dos Açores, decide por fim acabar de uma vez para sempre com a rebelião. Envia então ao arquipélago uma armada comandada pelo seu melhor almirante, o marquês de Santa Cruz. Mas o povo da Terceira sabe resistir heroicamente ao ataque vindo do mar. Uma lenda conta que em 1581 uma simples camponesa pôs em debandada os invasores, lançando-lhes os touros, e salvou assim a Baía da Salga. Apesar da coragem e da decisão de proclamar D. António rei, os terceirenses acabam por capitular. D. António consegue fugir e por muito tempo ainda tenta obter em vão o apoio da França e da Inglaterra para nova insurreição.

Filipe II de Espanha, reinando em Portugal como Filipe I, é bem o rei que o povo temia. Portugal, que

The broad outlines of the islands' subsequent history must be seen against the background of events in the mother country. The quarrels over the succession to the throne provoked by the death in 1578 of Dom Sebastião at the battle of Alkazar-Kébir resulted two years later in the occupation of Lisbon by Philip II of Spain. Although the Spanish monarch undertook to respect the country's institutions, the Portuguese clearly saw the danger of their losing both freedom and national identity. Among Portuguese claimants to the throne on grounds of kinship was Dom António, Prior of Crato. On the arrival of Philip of Spain he withdrew to the island of Terceira with the object of organizing opposition to the usurping Spaniards. With the aid of Catherine de Médicis – to whom, amusingly enough, he is said to have offered Brazil as recompense – he succeeded in assembling a fleet of French men-of-war. Hitherto, the Spanish Regent had not regarded Dom António as a serious rival, but now he decided to put an end to his opposition once and for all, and ordered his best Admiral, the Marquis of Santa Cruz, to set sail with the royal fleet for the Azores. The inhabitants of Terceira defended themselves with great bravery – there is a story of how in 1581 a farmer's wife in the Bay of Salga set the invaders to flight by driving a

desde o alvor dos descobrimentos procurara evitar disputas e atritos com os outros países, está agora envolvido num turbilhão de querelas políticas. O comércio mundial, até então florescente, vai-se esmoronar e a Espanha impõe pesados impostos aos portugueses. Os Açores não escapam ao sombrio quadro, submetidos como estão à administração do governador espanhol residente em Angra. Os piratas aproveitam a ocasião para espoliar a população insular vítima já do ocupante indesejável. Rezam velhas crónicas que tropas estrangeiras chegaram nos fins do século XVI a Vila Franca do Campo e se apoderaram durante dias de todos os géneros alimentícios que encontraram. Pouco depois, dá-se o ataque ao forte da Horta. E porque os habitantes resistem com saraivadas de balas de canhão, a cidade é pura e simplesmente incendiada e arrasada. Nesta altura, piratas de todos os países infestam as águas costeiras. Um grande número de fortalezas lembram hoje essa época de terror.

Após sessenta anos de ocupação espanhola, um grupo de fidalgos portugueses organizam a revolta. Em 1640, o duque D.João de Bragança é eleito rei com o nome de D.João IV. A revolução alastra-se facilmente pelas províncias. Em 1642, os Açores voltam à soberania portuguesa. O marquês de Pom-

herd of bulls at them – but their courage and determination to proclaim Dom António King of Portugal were of no avail against the superior forces of the Spaniards. Dom António took to flight, and for long tried to recruit French and British support for a fresh insurrection.

Philip II, now reigning as Philip I of Portugal, fulfilled the worst expectations of his subjects. Portugal, which since the era of the voyages of discovery had done its best to avoid disputes with other countries, now found itself involved in the maelstrom of international strife. The once flourishing, world-wide commerce collapsed, onerous taxation weighed heavily on the people. In this darker chapter of Portuguese history the Azores did not remain unscathed, for the islands were now under the tutelage of a Spanish Governor residing in Angra. Their lot was worsened by pirates, who seemed to rejoice in tormenting a people already suffering under foreign domination. Chronicles of the time relate how, towards the close of the 16th century, outlandish men-at-arms landed at Vila Franca do Campo and for several days pillaged the town, seizing all the victuals they could lay hands on. Soon afterwards the fortress of Horta was the victim of a similar attack, and when the inhabitants opened fire on the invad-

bal, todo-poderoso ministro de D. José, passa, no século XVIII, para Angra, a administração do arquipélago. Os ideais da Revolução Francesa repercutem-se em Portugal e levam à implantação dum sistema político assente em princípios mais liberais.

Parece, à primeira vista, que esta legislação de 1822 se encontra votada ao fracasso. Do jogo de intrigas entre os defensores da monarquia constitucional e absolutista, saem finalmente vitoriosos os liberais ao afundarem, em 1829, em frente da Vila da Praia,

ers they found their town reduced to a heap of rubble. At this time, hardly a country was spared the ravages of coastal pirates, as many a fortress still stands to remind us.

After 60 years of Spanish domination, the Portuguese nobility decided the time was ripe for revolution, and chose as future monarch John, Duke of Braganza, who was duly proclaimed King João IV in 1640. The revolution encountered little opposition and had soon spread to all the provinces, including the Azores, which returned to Portuguese administration in 1642. In the 18th century, under the Marquis of Pombal, the 'eminence grise' of King Joseph I, the seat of government of the islands was tranferred to Angra. The French Revolution naturally also left its mark on Portugal, where the political system became more liberal. A new constitution proclaimed in 1822 seemed at first destined to be a failure, and a struggle marked by many intrigues developed between the supporters of a constitutional monarchy and those who still clung to absolutism. This conflict culminated in 1829 in a battle between opposing fleets off Vila da Praia on the island of Terceira in which that of the absolutists was annihilated. The liberals now had the upper hand and in 1830 set up a Regency under Dom Pedro of Bra-

na Terceira, a armada adversa. Os correligionários de D. Pedro, o liberal, do Brasil, instalam ali um Conselho de Regência em 1830. Dois anos mais tarde, D. Pedro chega aos Açores para logo partir com uma armada à reconquista do Porto, o que consegue. Mas o exército inimigo cerca a cidade. No Verão de 1834, chega o apoio do Duque da Terceira. Sob a protecção de uma armada inglesa, o duque acosta ao Algarve com 2500 homens para aí fomentar a resistência vinda do sul. A luta por uma monarquia constitucional termina em breve. Para perpetuar a memória do corajoso comportamento da Terceira, Angra passa a chamar-se Angra do Heroísmo, e a Vila da Praia toma o nome de Praia da Vitória. O nome dos Açores é evocado sempre que uma contribuição para preservar a liberdade é necessária. Durante a Segunda Guerra Mundial, eles voltam à cena quando os Aliados aí estabelecem um ponto de apoio. A alma empreendedora do Povo, conjugada com a importante posição estratégica do Arquipélago, levam os Açores a desempenhar papel de destaque na história do mundo.

zil. Two years later, Dom Pedro arrived in the Azores, whence he sailed with a flotilla whose object was the reconquest of Oporto. Although the town was successfully taken, the enemy forces continued to surround it. This situation persisted until the summer of 1834, when the Duke of Terceira, protected by a British fleet, landed in the Algarve with 2500 men and began an attack from the south. Soon afterwards, hostilities ceased with the victory of the constitutionalists. It was to commemorate this courageous action of Terceira that Angra henceforth enjoyed a heroic appendage to its name – Angra de Heroísmo – while Vila da Praia became known as Praia da Vitória.

We see that the archipelago of the Azores was repeatedly linked with important historical events, especially when it came to giving a helping hand to movements for freedom. In the Second World War the islands again acquired fame when they became the site of air bases of the Allied Forces. We can be sure that the enterprising spirit of the inhabitants, linked with the strategic situation of the archipelago, will always ensure that they continue to play a special role in world history.

A meia-laranja da baía de
São Lourenço trai sua origem
vulcânica; a antiga cratera
presta-se à cultura da vinha

The graceful arc of the São
Lourenço bay betrays its
origin as erstwhile crater and
favors cultivation of vines

Os camponeses de Feteiras de
Baixo têm por hábito construir as casas disseminadas
entre as terras de cultivo

The farmhouses of Feteiras
de Baixo are scattered in
typical fashion far and wide
over the fertile fields

43

Um sólido carro de duas
rodas todas de madeira
munido de sebe de vime
para transporte de palha

Towering loads of straw
are carried in these sturdy
basket-like oxcarts with
their primitive solid wheels

Yucas florescem ao redor da quinta e as espigas de milho secando ao sol recortam na paisagem figuras grotescas

Palm-lilies embellish this extensive farm with its picturesque stands on which corncobs are hung to dry

45

Maia, no bico sueste da ilha
com a vinha protegida contra
o ataque dos ventos salinos
em pequenos socalcos murados

Near Maia, on the island's
southeast tip, the vines shelter from the raw, salty wind
behind rough stone walls

A graciosa igreja do
Santo Espírito com sua
fachada ornamental de
pedra vulcânica

This very ornamental church
in Santo Espírito is adorned
with a handsome façade
of carved volcanic stone

SÃO MIGUEL

Do sonho à realidade afanosa
do porto de Ponta Delgada,
cidade situada no sul da ilha
de que é capital

Brisk animation alternates
with placidity in the south-
wards facing harbor of the
islands' capital Ponta Delgada

A festa do Santo Cristo
reune anualmente milhares
de açorianos nas magníficas
jornadas de Ponta Delgada

Every year the feast of Santo
Cristo brings thousands of
the islanders together in the
capital of Ponta Delgada

49

Os jarros que emprestam às
casas açorianas esse ar de
frescura e de encanto nascem
a esmo nos bosques e campos

Calla, which grows wild in
woods and meadows, graces
every Azorean house with
its refreshing blossoms

O ananás, cultivado hoje
em estufa, foi trazido
no século XIX da América
como planta ornamental

The pineapple, brought from
South America in the 19th
century as ornamental plant,
is now widely cultivated

51

De uma ponta de raiz sai
um rebento e só após quase
dois anos de cuidados
amadurece o fruto odorante

After nearly two years' care,
the young shoot sprouting
from the rootstock will have
ripened to a delicious fruit

Quando as azáleas florescem,
no mês de Abril, a cor das
pétalas rivaliza com o azul
do céu e o verde da folhagem

When the azaleas bloom in
April their colors vie with
the azure heavens and the
fresh green of the leaves

53

A profusão de azáleas floridas transforma o Pinhal da
Paz, perto de Ponta Delgada,
num mundo fabuloso de cores

A sea of azalea blossoms
transforms the Pinhal da Paz,
near Ponta Delgada,
into a fairyland of color

Culturas recobrem as terras
do Pico do Fogo, essa fértil
região que vai desde Ribeira
Grande até Ponta Delgada

Between Ponta Delgada and
Ribeira Grande the fertile
lowland is overshadowed by
the massive Pico do Fogo

55

Perto de Fontaínhas, o campo
não oferecendo condições de
cultivo foi semeado de pastagens para o gado leiteiro

The ground near Fontaínhas,
unsuitable for agriculture,
serves instead as meadowland
for grazing cattle

Paisagem vulcânica no Pico
do Carvão com seus prados e
típico bebedouro do gado;
ao longe, vê-se Ponta Delgada

Volcanic landscape near Pico
do Carvão with meadows and
a typical cowpond; in the
distance lies Ponta Delgada

Idílicas margens das Lagoas
Verde e Azul no interior das
antigas crateras formadas
pelo vulcão das Sete Cidades

The peaceful Lagoa Verde and
Azul lie cradled within the
protecting wall of the former
crater of Sete Cidades

Carro de bois com rodado de madeira maciça, prova da autonomia do ilhéu, é tradicional no artesanato insular

Oxcarts with solid wheels bear witness to the traditional independence typical of the islands' handicrafts

59

Maravilhoso cenário da Lagoa
Azul na cratera das Sete Cidades – um convite perpétuo
de quimérica tranquilidade

This idyllic corner on Lagoa
Azul in the crater of Sete
Cidades inspires the visitor
to peaceful reveries

A imponente escarpa da Ponta
do Escalvado e a aldeia de
pescadores dos Mosteiros,
em frente da ilhota de lava

The majestic cliffs of Ponta
do Escalvado and the lava
islands off the fishing
village of Mosteiros

Lagoínhas – um dos numerosos pequenos cones vulcânicos
servindo de pastagens. Muros
protegem os campos da erosão

Lagoínhas: One of the many
small volcanic cones is a
meadow. Stone walls protect
the farmland from erosion

São Vicente Ferreira: vinha na encosta norte do vulcão protegida contra o vento agreste por muros e sebes verdes

S. Vicente Ferreira: Vines on the north slopes of the volcanic cones protected from the wind by walls and hedges

O fruto saboroso da tabai-
beira é utilizado no México
para o fabrico de marmelada,
geleia e bebidas fermentadas

The tasty fruit of the Indian
fig, used in Mexico to make
preserves, a honey and various fermented beverages

No clima temperado da Ribeira Grande, a humidade vinda
do mar permite a plantação
do chá em vastas extensões

In the mild climate of Ribeira Grande the humid ocean
air allows widespread cultivation of the tea plant

65

A Lagoa do Fogo cujo nome
lembra a erupção vulcânica do
século XVI está geralmente
envolta em densa neblina

The Lagoa do Fogo was so
named in the 16th century
from volcanic eruptions and
is often shrouded in mists

Do miradouro de Santa Iria
disfruta-se uma vista magnífica sobre Porto Formoso e
seus campos bem tratados

From Miradouro de Santa Iria
there is a delightful vista
of Porto Formoso and its
well looked after fields

São Brás com a sua imponente
igreja destaca-se no meio
das terras cuja cultura é
praticada durante todo o ano

São Brás and its attractive
twin-towered church are surrounded by farmland culti-
vable all the year round

A língua de lava recorta-se
nitidamente na Ponta Formosa. Os campos planos faci-
litam a actividade agrícola

Near Ponta Formosa the one-
time tongue of lava is clearly recognizable, its flat
surface making farming easy

A silueta característica da Lomba da Padeira com a linda igreja e a araucária, na ponta mais oriental da ilha

The characteristic outline of Lomba da Padeira with church and araucaria tree marks the easternmost tip of the island

Em Água Retorta, as searas
são ceifadas à mão e os
pequenos molhos de trigo
transportados ao ombro

In Água Retorta the corn is
harvested by scythe and tied
into small bundles to be
carried away for threshing

71

Casas agrícolas dispostas ao longo das estradas traçadas sobre uma antiga corrente de lava e conduzindo à Povoação

The roads leading from Povoação are built on old lava streams and lined on both sides with farmhouses

A baía da Povoação; a capela
de N.S. do Rosário foi erigida
no local onde se fixaram os
primeiros povoadores da ilha

Lomba do Cavaleiro and the
Bay of Povoação; the chapel
of N.S. de Rosário stands
where early settlers landed

73

Nas terras férteis da Povoação os pomares ao abrigo de
de altas sebes produzem as
frutas mais variadas

In the fertile countryside
near Povoação, the trees in
the many orchards thrive in
the shelter of high hedges

Os cafuões de madeira des-
tinados à secagem do milho –
como aqui na Ribeira Quente
– revestem múltiplas formas

The wooden stands on which
corncobs are hung to dry
take many forms – as here in
the Ribeira Quente district

75

Hedychium gardnerianum é
uma variedade de gingeira,
os bolbos protegem as encostas
inclinadas contra a erosão

Hedychium gardnerianum is a
zingiberaceous plant whose
bulbous roots protect steep
hillsides from erosion

Dos géiseres das Furnas sobe
vapor quente e o enxofre
cobre as rochas com uma fina
camada de cor amarelada

Hot vapors rise from the geysers of Furnas, where sulfur
has covered the rocks with a
yellowish deposit

A vegetação subtropical que
recobre o fértil Vale das
Furnas transformou-o num
extenso matagal de fetos

The subtropical vegetation
in the fertile valley of
Furnas evokes the impression
of an immense jungle

Terra Nostra, idílico parque
no clima ameno das Furnas
onde as plantas raras vivem
no meio de árvores gigantes

Rare plants and tall fern
trees thrive in the mild
climate of the beautiful park
of Terra Nostra in Furnas

A copa da araucaria angustifolia sul-americana eleva-se
acima das árvores do jardim
encantado que é Terra Nostra

The restful gardens of Terra
Nostra are dominated by the
crown of the South American
Araucaria angustifolia tree

Crianças cuidadosamente tra-
jadas desfilam sobre tapetes
de flores aquando da procissão
dos Enfermos, nas Furnas

Smartly turned out for the
occasion, these children enjoy the flower-decked Furnas
Procissão dos Enfermos

81

Muitos dias antes da festa,
mãos ágeis desfolham flores
de azáleas que cobrirão as
ruas onde passa a procissão

For days beforehand busy
hands have gathered enough
azalea blooms to make the
streets a carpet of flowers

Na enorme cratera central,
abatida quando de uma antiga
explosão do vulcão, fica a
romântica Lagoa das Furnas

The Lagoa das Furnas, ringed
by ancient volcanic cones,
lies in the island's enormous central crater

Gunnera manicata do Brasil
tem folhas com a largura de
1 m e dá no começo do Verão
cachos de flores com ½ m

The Brazilian Gunnera manicata has leaves up to three
feet across and in early
summer blooms 18 inches high

Panorama verdadeiramente
enfeitiçante das alturas do
Pico do Ferro no vale multi-
forme da Lagoa das Furnas

The Pico do Ferro offers an
enchanting panorama over the
picturesque valley cradling
the Lagoa das Furnas

85

O leite é transportado a cavalo através das colinas desde as pastagens até à central leiteira da região

Horses are used to transport milk from the meadows over the hilly country down to the dairy cooperative

A lavoura nas terras muito
íngremes como esta obriga
a atrelar ao arado duas
possantes juntas de bois

When it comes to ploughing
the steeply sloping fields
the farmer has recourse to a
sturdy team of four oxen

Vila Franca do Campo, terra
de nobre dignidade, foi capital da ilha até 1522, ano
do terramoto que a destruiu

An aura of dignity surrounds
Vila Franca do Campo, former island capital destroyed
by an earthquake in 1522

O arco resistente feito de um ramo de árvore permite o equilíbrio necessário para o transporte dos cestos

Azorean fishmongers use the traditional curved wooden beam and wicker-baskets to carry their wares to market

89

O povoamento na Água de
Pau caracteriza-se igualmente
pela disposição das casas
em um único alinhamento

Typical of Água de Pau is
this rural community consisting of a row of small
adjoining farmhouses

Tabaco prestes a ser colhido e folhas penduradas para a secagem e destinadas exclusivamente ao consumo local

Tobacco shortly before cutting, with, behind, a drying house. These leaves are intended for local consumption

TERCEIRA

Angra do Heroísmo, domina-
da pelo Monte Brasil; cidade
plena de vida que o terramoto
de 1980 tanto martirizou

Angra do Heroísmo, domin-
ated by Monte Brasil: before
the earthquake of 1980 a
vigorous and lively town

A cidade mais antiga erigida
já em 1534 Angra do Heroísmo
foi capital do arquipélago
açoriano até ao ano de 1832

Founded in 1534, Angra do
Heroísmo is the oldest town
of the Azores and their capital
up to the year 1832

O parque citadino, cheio de encanto, é um ameno ponto de encontro para passear, conversar ou ouvir um concerto

The carefully tended municipal park, a favorite place for strolling, gossipping or listening to a concert

Dos bairros mais elevados
disfruta-se um panorama impressionante sobre a cidade
e a costa até São Mateus

The upper part of the town
offers an impressive view
over the houses to the coast
as far as São Mateus

O forte de São João Baptista
frente ao Monte Brasil –
sentinela velando a calma
baía de Angra do Heroísmo

The Bay of Angra do Heroísmo is dominated by the São
João Baptista fortress on the
slopes of Monte Brasil

Fonte Faneca é um recanto cheio de sossego e calor humano; por toda a parte ramos de flores de mil cores

Fonte Faneca radiates a comfort and warmheartedness that is aptly reflected in the ubiquitous flowers

A cratera Merens com 104 m
de altura sob um manto de
vegetação verde-escura, por
trás de São Mateus da Calheta

Behind São Mateus da Calheta
rises the 340 foot high
crater of Merens with its
dark-green mantle of trees

Actores e espectadores vivem momentos da mais alta emoção durante a tradicional tourada à corda em Santa Bárbara

A tense moment in the street for both onlookers and participants in the Tourada à corda in Santa Bárbara

São Sebastião torna-se num
polícromo anfiteatro quando
milhares de aficionados vêm
assistir à corrida de touros

São Sebastião becomes a
colorful amphitheater when a
bullfight attracts hundreds of
enthusiastic spectators

A hortênsia, hydrangea ser-
rata, cuja variedade bravia
é originária da China, cres-
cia outrora nas florestas

The wild variety of hydrangea (H.serrata) is a native
of China and was originally
a woodland floral species

101

Biscoitos assenta sobre uma forte corrente basáltica que escorrera em tempos remotos desde o Pico Alto até ao mar

Biscoitos lies on one of the great streams of basalt that once poured from Pico Alto down to the ocean

Os moínhos de vento, de formas e construção variadas, lembram por vezes a origem dos pioneiros do povoamento

The windmills, of manifold shape and construction, often betray the land of origin of the first settlers

A infatigável acção do mar
na orla costeira vai corroendo
e burilando a conchegada
baía das Quatro Ribeiras

The peaceful Bay of Quatro
Ribeiras was the result of
ceaseless erosion of the
coastline by the waves

A região do nordeste, perto
da Praia da Vitória, abriga
o aeroporto, culturas e a
mais vasta praia açoriana

The northeast plain near
Praia da Vitória comprises
farmland, the Azores' longest
beach, and an airport

As extensas e bem cuidadas
culturas de Salgueiros vão
mesmo até ao rebordo das
perigosas escarpas costeiras

The spacious and fertile
fields of Salgueiros extend
to the very edge of the
cliffs bordering the ocean

As casas caiadas de fresco
não são mera preocupação
estética: a cal afugenta a
bicharada de casas e currais

The fresh whitewash of the
farmhouse is not purely deco-
rative: the chalk helps to
keep pests and vermin away

Nos Ilhéus das Cabras pastam
hoje tranquilos os rebanhos
sobre os restos das chaminés
do que foram antigos vulcões

The Ilhéus das Cabras are
remains of a former volcanic
cone and as the name indi-
cates now the home of goats

Uma atmosfera de intimidade
evola-se desta casa cercada
de vinha na bucólica região
da vertente sul da Serrinha

This cottage overgrown with
vines in the fertile land
south of Serrinha has a pleas-
antly homely atmosphere

GRACIOSA

Três capelas embelezam a colina vulcânica da Ajuda, junto da qual fica a maior vila, Sta. Cruz da Graciosa

Santa Cruz da Graciosa, the capital, lies at the foot of the volcanic hill Ajuda with its three chapels

Os campos da Praia sobem
suavemente pela imponente
Caldeira onde se situa o
abismo da Furna do Enxofre

It is a gentle climb over
the fields up to the imposing
Caldeira, whose crater
holds the Furna do Enxofre

111

Graciosa, ilha dos moínhos de vento cuja forma, como a deste na Praia, faz evocar os povoadores holandeses

Graciosa is the island of windmills. Like this one in Praia they are a reminder of the Dutch settlers

Graciosa não tem porto pelo que os passageiros devem passar para uma lancha como aqui na baía do Quarteiro

Since Graciosa has no harbor, small craft are used to disembark passengers – as here in the Bay of Quarteiro

SÃO JORGE

O mar ressoa fortemente nos rochedos de pedra lavosa das Velas; perdida na distância, a silhueta da ilha do Pico

The breakers battle violently with the volcanic shore of Velas; in the distance is the outline of Pico

No bico oriental desta ilha
em forma de charuto, o farol
da Ponta dos Rosais a 288 m
acima do nível das águas

At the western end of the
cigar-shaped island is the
Ponta dos Rosais lighthouse,
950 feet above sea-level

Depois que os pescadores
alaram seus barcos por sobre
a costa difícil, instala-se
de novo a calma em Urzelina

Tranquillity returns to Urzelina when the fishing boats
have been hauled up high and
dry over the rocky shore

As águas do porto da Calheta
são pouco profundas e os
barcos insulares não podem
lançar âncora junto do molhe

The harbor of Calheta is not
deep enough to allow Azorean
ships to tie up and unload
their cargo at the mole

117

Todas as mercadorias têm que
ser carregadas em lanchas de
fundo raso, como aqui estes
pesados sacos de adubo

Merchandise such as these
heavy sacks of fertilizer
is therefore off-loaded
into flat-bottomed boats

A bruma envolve as Fajãs
– terrenos disputados ao
oceano – com extenso manto
do mais profundo misticismo

The steep coast is shrouded
in mystery when fog rolls
down to the 'Fajãs', the
natural coastal terraces

As ricas pastagens mesmo nas alturas do Pico da Calheta falam da primeira actividade de São Jorge – os lacticínios

Rich pastures, even high up on the Pico da Calheta, are typical of São Jorge as the island of dairy-farming

Afogadas no mar duma vegetação luxuriante, rodeadas de
figueiras, bananeiras, vinha,
as casas da Fajã de São João

Cottages on the Fajã de São
João, surrounded by figs,
bananas and vines, are half
buried by the vegetation

PICO

A alta floresta dominando
S. Miguel Arcanjo proporcio-
na esta vista magnífica sobre
a faixa costeira de São Roque

The wooded heights of S. Miguel Arcanjo afford a charming view of the coast in the
neighborhood of São Roque

A Lagoa do Capitão, cercada por uma vegetação selvagem, fica situada num planalto perto da Ponta do Pico

The Lagoa do Capitão, surrounded by indigenous island vegetation, lies on a high plateau near Ponta do Pico

123

Ao longo da Baía do Cachorro
as cavernas formadas pelas
correntes basálticas são
esculpidas pela acção do mar

In the Bay of Cachorro lava
streams resulted in caverns
sculptured into bizarre
shapes by the waves

No Cais do Pico pesca grossa
para esquartejar e amadores
tentando a sorte frente ao
«Ponta Delgada» ancorado

Slaughtered whales alongside
the jetty at Cais do Pico
await processing. The 'Ponta
Delgada' lies at anchor

125

Os pesados animais marinhos
são puxados por um guincho
até à porta da fábrica e aí
cortados em grossos pedaços

The heavy carcases are hauled
by cable to the factory,
where workers first cut them
up into huge pieces

Dois passos separam a Horta da Madalena; a ligação entre ambas as ilhas é diariamente assegurada pelas lanchas

Only a short stretch of sea separates Madalena from Horta; a daily boat service links the two islands

Vinhedo próximo da Mada-
lena, na parte mais acessível
dos flancos abruptos da Ponta
do Pico; à distância, o Faial

Vines are grown near Madalena where the steep slopes
of the Ponta do Pico flatten
out. In the distance, Faial

Pequenos muros de pedra
vulcânica protegem a maturação das uvas na fértil região
viti-vinícola de São Mateus

Low walls of volcanic stone
protect the ripening grapes
in the favorable country to
the south of São Mateus

A encantadora Calheta de
Nesquim fica deserta quando
os pescadores ao grito de
«Baleia» se atiram aos remos

When a cry of 'Whale' calls
the men to the boats the village of Calheta de Nesquim
suddenly has a deserted air

As casas esmeradas de Manhanhas fazem esquecer os tormentos da população vivendo sobre uma terra vulcânica

The tidy houses of Manhanhas reveal little of the early settlers' difficult task with the hard volcanic earth

A ponta mais a leste do Pico
chama-se Baía das Caravelas
embora seja pouco crível que
descobridores lá fundeassem

The eastern tip of Pico is
known as the 'Bay of the
Caravels', though few of the
early mariners anchored here

Partida do Pico, a bordo do
«Ponta Delgada», único meio
de comunicação regular exis-
tente outrora entre as ilhas

Circling Pico on board the
'Ponta Delgada', once the
sole vessel maintaining a
regular inter-island service

FAIAL

Vista do Monte da Guia sobre
Queimado e Horta; os dois
cones vulcânicos rodeiam o
antigo porto baleeiro de Pim

The Queimado and Horta seen
from Monte da Guia; the two
volcanic cones enclose the
old whaling port of Pim

Horta: fascinante panorama
da cidade em suave declive
encimada pelas torres das
igrejas e verdes colinas

Horta: a fascinating panorama
of the urban slope dominated
by church towers and encir-
cled by a ring of low hills

135

O atuneiro «Garça» da Horta, porto comercial seguro e escala de iates quando das travessias do Atlântico

The fisherboat 'Garça' off Horta, a safe harbor for ships and staging post for yachts crossing the Atlantic

Quando um atuneiro encosta,
como aqui o «Santo Amaro»
no porto da Horta, reina
a maior azáfama sobre o cais

A busy time for all hands
on the jetty when a ship –
here the 'Santo Amaro' –
ties up in the Port of Horta

Os corpulentos atuns no cais
da Horta exigem braços bem
fortes para proceder ao
carregamento dos caminhões

Work for strong arms on the
quay of Horta as the catch
of tunny is loaded on trucks
for transport to the factory

Um moínho rodando ao vento
oeste dominante na planície
de Castelo Branco situado
não muito longe do aeroporto

A windmill exploits the
usually westerly wind on the
plain of Castelo Branco not
far from the airport

Fateira, antigo vulcão perto da Horta, visto da altura; nuvens misteriosas pairam ao fundo sobre a Ponta do Pico

High above Fateira the view embraces the old volcanoes of Horta and, far away, the cloud-capped summit of Pico

Novas culturas junto dos Capelinhos, vulcão que cobriu
em 1957 casas e campos com
um espesso manto de cinzas

Freshly cultivated land near
Capelinhos; in 1957 the volcano buried farms and fields
under a thick layer of ash

141

A vistosa flor ornamental de canna indica; as jovens plantas germinam a partir das cápsulas de sementes

The Canna indica plant is crowned with splendid blooms from whose seed capsules the young plants germinate

A costa é abrupta frente à aldeia piscatória de Salão, outrora muito frequentada pelos pescadores de baleias

The steep and rocky shore at the fishing village of Salão, earlier a favorite locality for Azorean whalehunters

143

Ao tempo da pesca da baleia, quando soava o grito dos vigias, os pescadores desciam rápidos até aos barcos

Hardly had the cry of 'Whale' echoed over the fields than the whalers had leapt down the steps into their boats

Baía da Ribeira das Cabras, encravada entre a Zona do Mistério e a mais elevada falésia costeira do Faial

Baía da Ribeira das Cabras, backed by Faial's highest cliffs and the floral wilderness of Mistério

FLORES

Vista enfeitiçante esta dos
Mosteiros com seus campos
emoldurados de hortênsias
até à Ponta das Cantarinhas

Mosteiros looks down charm-
ingly on the meadows bord-
ered with colorful hydrangeas
near Ponta das Cantarinhas

No meio de uma natureza selvagem florida, os tubos de órgão basálticos erguem-se até ao Pico da Terra Nova

Striking 'organ pipes' of basalt reach up from a wilderness rich in flowers towards Pico da Terra Nova

147

A hortênsia ou novelão,
hydrangea macrophylla, originária do Japão, não era conhecida na Europa até 1712

This variety of hydrangea
(H. macrophylla) is native to
Japan and was not imported
into Europe until 1712

Flores, reino das hortênsias,
com as divisórias floridas
do Pico da Casinha; ao longe,
a silhueta da ilha do Corvo

Flores, island of hydrangeas,
whose blooms line the fields
on Pico da Casinha. Far away
the outline of Corvo

A casa erguida geralmente no meio das culturas é símbolo do auto-abastecimento, como aqui em Santa Cruz das Flores

Crops often reach to the walls of the house – sign of a self-supporting family, as here in Flores' Santa Cruz

150

Imponente ex-libris de Santa
Cruz das Flores, a igreja de
Nossa Senhora da Conceição
foi renovada no século XVIII

Pride of Santa Cruz das
Flores: Nossa Senhora da
Conceição Church, restored
in the late 18th century

151

Moínho de vento na ilha do Corvo esperando a estação das ceifas. O pedestal onde assenta é de pedra basáltica

The primitive windmills of Corvo have sailcloth vanes turning on a plinth built of stone of volcanic origin

As escarpas basálticas da
costa ocidental do Corvo
evocam o mito do cavaleiro
fenício indicando a rota

The basalt cliffs of the precipitous west coast of Corvo
conjure up the legend of
the Phoenician Rider

HABITAT

Que impressão terá causado este mundo insular atlântico nos primeiros povoadores que ali aportaram com suas famílias para iniciarem uma nova existência? Suas embarcações evitaram escolhos traiçoeiros em demanda de uma baía na qual pudessem lançar ferro. O desbravamento começa nas regiões costeiras de mais fácil acesso, mas a progressão é dificultada pela vegetação luxuriante. Como anotou Gaspar Fructuoso, cronista açoriano, aquelas gentes não exigiam mais que uma simples cafua, uma pequena cabana coberta de colmo em guisa de abrigo. Em certas regiões, as grutas serviram mesmo de primeira habitação. Passo a passo, o homem foi edificando seu quadro de vida: as primeiras sementes são lançadas à terra desbravada, surgem terraços cultivados nas encostas abruptas. Lá onde a erosão ameaçava destruir a mata, sebes evitam que a enxurrada arraste a terra cultivável, muros protegem a plantação contra a agressão dos ventos salinos. Os animais trazidos são da maior utilidade: da lã dos carneiros e do couro dos bois fazem-se roupas e calçado resistente, a criação porcina melhora o sustento da comunidade. Inicialmente, o contacto entre os habitantes da mesma ilha

HABITATIONS

What impression did these Atlantic islands make on the earliest settlers as they arrived with all their worldly possessions to start a new life? Their ships had first to sail along the inhospitable shore in search of a bay where they could cast anchor. Colonization naturally began in the more accessible parts of the islands, and since the way inland was hindered by dense vegetation, tended to spread along the coast. As Gaspar Fructuoso, the Azorean chronicler, relates, the first dwellings were the 'cafuas', small wooden huts thatched with straw, though in some parts the settlers were content to make their abode in grottoes. Step by step the wilderness became a habitable environment; the land was made arable, precipitous slopes were turned into fruitful terraces. Where shrubs were cut down and soil erosion threatened, hedges were planted to prevent rain washing away the valuable soil; walls were built to shelter the crops from the salty wind from the sea. The animals the settlers brought with them were put to good use: sheepswool and ox-hides provided clothing and footwear, and the breeding of pigs made its mark on the settlers' fare. At first, the colonists' links with their fellows on the

era apenas possível pela via marítima. Só depois de se abrirem caminhos carroçáveis é que começa a comunicação e, com ela, a troca de ideias e mercadorias. As estradas têm hoje ainda tratamento cuidadoso: as ervas ruins irrompendo dos interstícios dos paralelos são eliminadas e as bermas plantadas de hortênsias.

Entretanto, o habitat mudou. A casa era exclusivamente de basalto com argamassa de barro e cal de Santa Maria ou de Portugal. O telhado de feixes de palha passou a ser coberto de telhas castanho-avermelhadas que não exigiam renovação de três em três anos e que diminuíam o risco de incêndio. No campo, encontram-se ainda nos nossos dias cabanas sem janelas, mas já não abrigam senão a palha para os animais e as alfaias agrícolas. As particularidades arquitectónicas permitem muitas vezes determinar a origem dos primeiros povoadores. É assim que as casas esmeradas de Santa Maria lembram um pouco as do sul de Portugal. O facto de que o Príncipe Henrique tenha mandado povoar em primeiro lugar essa ilha e que tenha escolhido para tal entre os seus companheiros e criados, oriundos do Algarve, pode ser uma explicação. É possível que tenham sido habitantes do Alentejo vizinho que arrotearam a segunda ilha, São Miguel, porque muitas

same island were only by way of the sea, and intercommunication – the exchange of wares and information – began only when paths had been opened up. Nowadays the island roads are still well cared for; grass and weeds are removed from between the paving stones, the roadsides planted with showy hydrangeas.

In time, the type of dwelling changed, and cottages were built of basalt blocks cemented with mortar made from loam and chalk brought from Santa

casas assemelham-se aqui ao tipo de habitações alentejanas. A arquitectura do norte de Portugal é em contrapartida patente nas outras ilhas, aliás em harmonia com elementos flamengos. O que chama a atenção em Santa Maria é a disposição das moradias, com suas grandes chaminés originais de ressalto, disseminadas entre os campos de cultivo. Em São Miguel, é diferente: na região costeira, divisam-se ao contrário densos aglomerados seguidos de construções alinhadas ao longo da estrada dando a falsa ideia de grandes povoações, mas que não sobem nunca além de 300 metros da encosta.

As casas desta ilha são quase sempre térreas, rectangulares, com paredes caiadas, ombreiras das janelas e portas pintadas de cores vivas. No interior, domina a cozinha, lugar de reunião de família, onde as refeições são tomadas em conjunto e onde se contam as novidades. Aqui se acha também a entrada do forno e da chaminé anexos, separados por um arco do resto da habitação. Na eira junto à casa mulheres e crianças entregam-se às lides mais variadas: descamisam ou descarolam o milho, abrem as vagens do feijão, sem descurarem a costura e a malha. O pátio das traseiras mostra bem que os moradores se abastecem a si próprios: a um canto o chiqueiro do porco, as galinhas à solta, os feijões secando ao

Maria or Portugal. Roofs thatched with bundled straw gave way to reddish-brown tiles that needed no replacement every few years and were not a fire danger. Today, the early small, thatched, windowless huts can still be seen standing in the fields, but they serve only to store hay for the animals and agricultural implements.

Architectural styles often give a clue to where the original settlers came from. Thus the dazzling white cottages of Santa Maria are reminiscent of southern Portugal. This is perhaps because Prince Henry the Navigator decided that this island should be the first colonized and chose the settlers from among the inhabitants of his own region, the Algarve. For the second island – São Miguel – he might well have found people from the adjacent Alentejo, for many of the houses resemble those of this district. On the other islands it is commoner to find north Portuguese architectural styles, which harmonize well with the Flemish elements also seen. Santa Maria is remarkable for the way its white-painted cottages with their unusual chimneys are scattered over the landscape. São Miguel presents a different picture: the denser agglomerations tend to lie along the coast. Elsewhere housing consists largely of ribbon development; this gives the impression of a town of

tempo, e as maçarocas do milho guardadas ao ar nas toldas ou nos típicos cafuões formados de pilares de

madeira. Os cuidados minuciosos com que são tratados pomares e hortas transformam estes em verdadeiros jardins floridos.

Quanto ao estilo seguido na construção dos solares

considerable dimensions, but in fact the built-up area extends nowhere more than three or four hundred yards up the coastal slope.

On São Miguel the commonest type of dwelling is the square, low-built, whitewashed cottage with its gaily-painted doors and window-frames. Indoors, daily life is centered around the kitchen, where the family comes together and meals are eaten. From here there is direct access to the oven and the built-on chimney, separated from the cottage itself by a passage in the form of an arcade. Next to the kitchen is a room for the domestic tasks of the womenfolk and children: corn is husked, bean-pods are opened, and in between there is time for sewing and knitting. Behind the cottage, the scene is typical of the self-supporting family: a courtyard with pens for swine and chickens alongside, beans drying in the open air, ripe corn-cobs hanging in the sun in the typical wooden stands, or 'toldas'. Orchards and vegetable plots are tended with such care that the stranger can be forgiven for mistaking them for flower-gardens.

Little is now known of architectural styles in the towns of the 15th and 16th centuries since many of the records have been destroyed in earthquakes. In his chronicles, Fructuoso writes that in Ponta Del-

dos séculos XV e XVI, poucas indicações subsistem porque muitos documentos desapareceram aquando dos terramotos. Em sua crónica, Fructuoso cita que em Ponta Delgada senhores influentes e cultivados possuíam no século XVI paços da melhor pedra, caiados por dentro e por fora e parecidos com fortalezas. A arquitectura religiosa dessa época apresenta traços característicos do românico-gótico e manuelino. A criação artística no século XVII denota grande harmonia em igrejas e conventos, embora tenha havido tendência para o exagero nas obras de escultura em pedra. Esta observação é igualmente válida para os painéis, trabalhos de ferro forjado e objectos sacros. O barroco, nas mãos dos artistas insulares redundou num novo tipo de estilo açoriano. O incremento das relações comerciais trouxe hábitos de construção mais requintados. Quando da exportação de laranja para a Grã-Bretanha, no século XIX, chegaram com o estilo colonial influências inglesas que iriam marcar o estilo local. Restos das primeiras casas do século XV existem ainda em Santa Maria, na Vila do Porto. Capital desta ilha e sede da fundação do arquipélago, a vila abriga ainda antigas olarias que aproveitam a argila avermelhada do solo insular. O museu de Ponta Delgada, em São Miguel, dentro dos mu-

gada in the 16th century 'influential and cultured citizens owned magnificent houses, stately palaces built of best-quality stone, whitewashed inside and out, like fortresses. . .' Religious architecture at this time displayed Romano-Gothic and Manueline characteristics. Seventeenth century artistic creativity is reflected in the harmonious design of churches

and cloisters, though stonework tends to be excessively ornate, a trend also seen in paintings, wrought ironwork and sacred objects. In the hands of local artists and craftsmen, baroque acquired its own peculiar Azorean imprint. With the rise in trade and

ros do antigo convento de Santo André, dá uma ideia da vida cultural dos Açores. O edifício, considerado um dos mais belos da cidade, abriga uma rica colecção de pinturas, objectos sacros, etnográficos e de história natural. Ponta Delgada, elevada a cidade em 1546 e hoje capital da maior e mais populosa das ilhas, cresceu para se tornar o centro da indústria e do comércio. Uma das bases para tal – ao lado da vantajosa situação do ancoradouro voltado ao sul – foi a instalação em 1518 de um posto de alfândega à entrada do porto. Magníficos conventos e igrejas simbolizam os séculos XV e XVI, enquanto que os palácios e solares falam da vida citadina do século XVIII. Parques e jardins floridos emprestam a Ponta Delgada e a Ribeira Grande esse tom de encanto e de frescura; o Vale das Furnas é um verdadeiro paraíso de fascinante beleza tropical.

Em Angra de Heroísmo, capital da Terceira, os jardins não são menos bem tratados. Quando sopra a brisa amena da tarde, os habitantes reunem-se para um passeio através do pitoresco jardim do Prior do Crato ou do parque do Duque da Terceira. O epíteto «Heroísmo» foi conferido por D. Maria II em reconhecimento da heróica resistência da cidade. Uma nobreza discreta evola-se das ruas bem tratadas que denotam a mão dos urbanistas da Renas-

commerce came a cultural upsurge. In the 19th century, buildings in the English colonial style made their appearance, mainly a result of the export trade in oranges with the British Isles.

Remains of the first building to be erected – in the 15th century – on the island of Santa Maria can still be seen. This stands in Vila do Porto, the capital and original Azorean settlement, and to this day houses old potters' workshops where the reddish clay of the island is molded.

An insight into the cultural life of the Azores is afforded by a visit to the museum of Ponta Delgada on São Miguel, in the former monastery of Santo André, one of the city's finest buildings. The museum contains paintings, religious objects, and ethnographic and natural history exhibits. Ponta Delgada, designated a 'cidade' in 1546 and now capital of the largest and most densely populated island, became a center of industry and commerce. One of the cornerstones of its prosperity – in addition to the favorable southerly situation of its port – was the erection in 1518 of the customs building at the entrance to the harbor. In the 15th and 16th centuries the city's architecture was dominated by churches and monastic edifices, in the 18th century mainly by the mansions and town houses of the

cença. Angra foi a primeira localidade dos Açores a desenvolver-se segundo um plano de urbanização.

Igrejas e capelas imponentes, casas solarengas e palácios, ricas bibliotecas e fontes cantantes dão-lhe esse seu cunho cultural. Os lugares sagrados encerram muitas vezes jóias preciosas, como é o caso da

leading citizens. During the next hundred years, cities like Ponta Delgada and Ribeira Grande were embellished and enlivened with ornamental parks and fine public buildings, while the valley of Furnas was turned into an exotic park containing a wealth of tropical foliage.

Angra do Heroísmo, the capital of Terceira, is not far behind where the care lavished on parks and gardens is concerned. In the cool evening breeze, the townspeople like to saunter through the attractive gardens of the Priory of Crato (Jardím do Prior do Crato) or the park of the Duque da Terceira. The appanage 'do Heroísmo' was conferred on the city by Queen Maria II of Portugal in recognition of its courageous resistance to invaders. The ordered street plan betrays the handiwork of Renaissance town-planners and lends an air of unostentatious nobility. Angra was the first Azorean settlement whose development followed a planned concept. Imposing churches and chapels, mansions and palaces, well-stocked libraries, not to mention the many beautiful fountains, are evidence of the high level of the city's culture. The religious buildings hold many valuable antiquities – for instance the Jesuit Church (Igreja do Colégio dos Jesuítas), with its wood carvings, gilded sculptures and collection

Igreja do Colégio dos Jesuítas com suas obras de talha, esculturas em pedra dourada, colecção de azulejos holandeses e placas de faiança de cores maravilhosas. Vasco da Gama deu sepultura na igreja de São Francisco a seu irmão Paulo morto em Angra após doença contraída durante a viagem de regresso da Índia. Como para proteger a cidade, erige-se a oeste o imponente Monte Brasil com o Castelo de São João Baptista. Mas o terramoto do dia primeiro de 1980 foi mais forte e lacerou profundamente essa bela cidade tão cheia de tradição.

Quem se aproxime pelo mar do Faial não pode deixar de se extasiar diante do cenário maravilhoso da sua capital, Horta. A cidade trepa calmamente pela colina, desde as casas pitorescas do cais e dos antigos muros de fortificação de Santa Cruz até às igrejas cujas torres dominam a urbe. Os magníficos jardins cheios de flores perfumadas dão ao Faial esse seu ar de suavidade.

Homens das mais diversas origens criaram outrora um novo espaço vital neste arquipélago. Apesar do amálgama sucessivo de culturas e tradições, cada uma das ilhas soube preservar seu encanto próprio.

of many-colored faience tiles from Holland. The Church of São Francisco contains the grave of Paulo da Gama, buried here by his brother Vasco after a fatal illness contracted during their return voyage after discovering India. To the west, like a sentinel guarding the city, rises the commanding mass of Monte Brasil, crowned by the fortress of São João Baptista (Castelo de São João Baptista). Tragically, it was of no avail against the submarine earthquake of New Year's Day 1980, which wrought almost irreparable damage to the city's venerable buildings. Nobody approaching Faial from the sea can fail to be impressed by his first glimpse of Horta, the island's capital hugging the hillside rising from the ocean. Picturesque houses line the sea-front, flanked by the walls of the old fortress of Santa Cruz, while dominating the town are the elegant towers of the churches. Here, freshness is added to the scene by parks and gardens with massed displays of fragrant blooms.

People of widely differing origins have carved a niche for themselves somewhere in the Azores. Over the centuries, cultures and traditions have gradually become merged, but to this day the individual islands have succeeded in retaining their own peculiar charm.

FLORA E FAUNA

Sequóias e dragoeiros, plátanos orientais e tulipei-
ros pertencem ao número de plantas exóticas que os
açorianos introduziram no clima temperado do ar-

FLORA AND FAUNA

Among the exotic flora that has flourished in the
mild Atlantic climate of the Azores since its intro-
duction to the islands are the sequoia, dragon tree,
oriental plane and tulip tree. Parks and gardens
have gradually been embellished with a wealth of
botanical species brought from far and wide, completely transforming a landscape that was covered
with dense vegetation when colonization of the archipelago began. Of the species growing at that
time, Juniperus oxicedrus, Myrsina retusa and the
evergreen Myrica faya are still to be seen. Also indigenous are Cerasus lusitanica, Picconia excelsa and
Erica azorica, along with 'vinhático', better known
as Brazilian yellowwood. December sees the
mauve-colored blooms of Calluna vulgaris, while
Viburnum tinus blossoms in the New Year. Ilex
perado is indigenous to both the Azores and Madeira. Another well-known tree from of old is Taxus
baccata, the wood of which was used by Neolithic
lake-dwellers to make tools.

The woodlands of the Azores are the responsibility
of the Forestry Service, who see to it that only the
most suitable trees are used for afforestation. The
forest roads used for this purpose are open only to

quipélago atlântico. Sucedem-se no embeleza-mento de jardins e parques onde abundam as mais variadas raridades botânicas. A paisagem que nos alvores do povoamento era caracterizada por densa mata virgem, foi assim enriquecida sobremaneira. Da flora original são hoje ainda testemunhas o cedro das ilhas, o tamujo, e a faia sempre verde. Indígenas também a gingeira, o pau-branco e a urze, assim como o vinhático. Em Dezembro, floresce a queiró de cor lilás, e o folhado abre com o ano. O azevinho é endémico nos Açores. O teixo é velho conhecido do homem: os povos lacustres do Neolítico talharam objectos de sua madeira. A sorte da floresta está nas mãos dos Serviços Florestais: eles se ocupam do seu equilíbrio repovoando, graças aos viveiros de pesquisa, de modo a assegurar a presença das essências adequadas. Os caminhos por onde, salvo o jeep do guarda, não circulam automóveis, atravessam a natureza polícroma, verdadeiro achado para todos quantos se entregam à prática do passeio sadio. Nas zonas mais baixas, cresce a faia de Holanda, a acácia, o eucalipto e o pau-brasil. O pinheiro marítimo é mais raro. As regiões mais elevadas são domínio da criptoméria japónica, cujas agulhas verde-negras contrastam com o verde vivo das pastagens. Um ar de exotismo paira nos poma-

the foresters' jeeps and no other motor vehicles, and are a delight to the wanderer on foot who wishes to savor the beauties of the Azorean countryside. At lower altitudes the commonest trees are the beech, acacia, eucalyptus and brazilwood, with the Mediterranean pine as a rarer species. Higher up grows Cryptomeria japonica, whose dark-green needles contrast with the hillside meadows. The varieties of fruit available include some that are exotic: oranges and lemons as well as apples, medlars and chestnuts. The spring-like climate ensures that the figs, sweetsops and musky guavas ripen to the full. To quench the thirst there is the juice of the passion fruit – or of course wine, especially good where the Azorean growers are experienced vintners.

Around 1870 the tea plant was introduced onto São Miguel, and pineapples, long cultivated on the island, ripen under glass. Palm trees, ferns, Japanese larches, araucarias from Patagonia, Australia and New Caledonia lend a park-like appearance to the island vistas, with their groves of Chinese bamboo and the spectrum of colors offered by the orange-colored Strelitzia reginae, white Camellia japonica, purple hibiscus and violet, rose and red azaleas.

It has been suggested that the Azores were given their name by the discoverers in the mistaken belief

res: limoeiros, laranjeiras, castanheiros, nespereiras e macieiras. As temperaturas amenas da Primavera trazem os figos, as anonas e as goiabas suculentas, dulcíssimas, almiscaradas. O suco do maracujá é desalterante para a sede, o das uvas cuidadosamente tratadas, sobretudo quando o trabalho das adegas é obra de profissionais, dá uma bebida apetecível. Cerca de 1870, começou a plantação do chá na ilha de São Miguel, assim como a cultura do ananás em estufa. Palmeiras, fetos arbóreos, aucubas do Japão e araucárias da Patagónia, Austrália e Nova Caledónia emprestam a magia à paisagem e fazem-na assemelhar-se a um parque imenso. Nos bosques idílicos cresce o bambu chinês. Brilhando em sinfonia de cores sucedem-se as strelitias laranja-vivo, as alvas cameleiras, os purpúreos hibiscos e as azáleas cor-de-rosa, violetas e encarnadas.

A lenda conta que o nome dos Açores foi dado ao arquipélago pelos seus descobridores que tomaram por açores as aves de rapina aí tão abundantes. É possível que nessa altura não existisse nenhum quadrúpede nas ilhas, e que os primeiros bois, porcos, cavalos e burros, assim como os carneiros e as cabras tenham sido introduzidos previamente na intenção da subsequente colonização. Depois seguiram-se os cães, os gatos, e roedoros tais como os coelhos, rãs e

that the innumerable kites they saw were hawks (in Portuguese, 'açores'). It can be assumed that at this time there were no quadrupeds on the archipelago.

These were introduced by the early colonists, who set free the animals – cattle, pigs, horses and donkeys, as well as sheep and goats – they brought with them. Later came dogs, cats, rabbits and other

lagartos. Nos cursos de água doce vivia apenas a enguia e o homem foi introduzindo progressivamente a truta, a perca e a carpa que hoje ainda atraem o pescador amador. Deve-se à iniciativa do primeiro capitão a introdução da codorniz e da perdiz. Lá onde só faziam ninho outrora as aves marinhas, cantam hoje o estorninho, o melro, a estrelinha, a alvéola e o pombo torquaz; canários, toutinegras e tentilhões enchem de trinados maviosos a floresta. Fructuoso fala de peixes enormes – verosimilmente cachalotes – e de focas que certos topónimos evocam ainda. Se os mamíferos e as aves estão relativamente pouco representados no arquipélago, os insectos são em contrapartida legião, sobretudo os coleópteros. Nas terras cultivadas abundam a mosca dos frutos, os gafanhotos e os caracóis em número porém que não ameaça nunca o equilíbrio natural.

rodents, frogs and lizards. Since only eels were found in the lakes and rivers, the settlers introduced trout, perch and carp, so that the peaceful waters are these days a great attraction for anglers.

On the initiative of the early Captains of the Azores, quail and partridge were liberated on the islands. Where formerly only sea-birds built their nests came starlings, blackbirds, wrens, wagtails and pigeons; the woods were filled with the song of canaries, whitethroats and finches. Fructuoso wrote of enormous 'fish' – presumably whales – and of seals, of which a reminder exists in some Azorean place-names. In contrast to the relatively modest variety of birds and mammals, the large number of insect species, especially beetles, is astounding. Though fruit flies, grasshoppers and snails are to be found wherever farming is undertaken, they never abound in numbers that could endanger the balance of nature.

SITUAÇÃO ECONÓMICA

Uma temperatura eternamente primaveril e um solo fértil tornam paradisíacas as condições de vida no Arquipélago. No entanto, o grande número de ilhas, suas pequenas dimensões e a distância considerável que as separa dos mercados continentais obstam seriamente ao seu desenvolvimento económico. Constantes alterações e adaptações foi por isso necessário fazer à estrutura económica local, no decorrer dos séculos, de maneira a atingir os melhores resultados em tão restrito campo de manobras. Na existência do ilhéu, a origem vulcânica do Arquipélago é determinante. Felizmente que tal natureza não é tão patente em todas as ilhas como na do Pico, na qual os primeiros povoadores tiveram que rebentar a crosta de lava antes de lançarem as primeiras sementes à terra. As pedras serviram para a construção de muros para protecção das culturas contra os ventos salinos do Atlântico. Nas vinhas, as cepas são rodeadas de pedras escuras de basalto, as quais, conservando o calor diurno, contribuem de maneira ideal para o crescimento e a maturação das uvas. A casta local é a americana introduzida em meados do século XIX na altura em que o oídio destruía as variedades europeias e o tempo áureo da ex-

ECONOMY

At first sight, the spring-like climate and fertile soil of the archipelago would appear to offer ideal living conditions. The fact that the Azores are a group of nine fairly small islands situated at a great distance from the continental markets makes, however, for economic difficulties. For this reason, the islands' economic infrastructure over the centuries has been marked by continuous change and adaptation aimed at getting the best obtainable results in the short term. Another factor affecting life on the islands is their volcanic origin. Fortunately, this has not everywhere created such difficulties as on the island of Pico, where the settlers had to break through a crust of solidified lava before they could cultivate the soil. They made use of the volcanic stone to build walls to protect their plantations from the salty Atlantic wind. In Azorean vineyards, blocks of the local dark basalt are carefully stacked between the vines to store the sun's warmth, a device that speeds the growth and ripening of the grapes. The variety of vine now cultivated is the American Isabella; this was introduced in the mid-19th century after the earlier European varieties had been decimated by the fungus Oidium tuckeri, an event that put an end

portação de vinho açoriano para o norte da Europa e para a Rússia começava a declinar. As antigas castas encontram-se ainda na Terceira, na Graciosa e no Pico. Actualmente, as adegas cooperativas relançam a cultura do aromático verdelho, um vinho que envelhece de forma excelente.

A batata-doce chegou aos Açores já no século XVI. A sua origem é incerta; uma lenda antiga conta que os habitantes da ilha da Páscoa levaram tubérculos para a Polinésia após terem estado no Peru. Ao contrário da batata corrente, cujo tubérculo é formado por um entumecimento do caule subterrâneo, na batata-doce é a raiz que é tuberculosa. Os tubérculos, espessos e de forma variada, pesam entre 0,5 e 2 kgs. Têm um teor em amido que varia entre 8 e 22%

to the thriving Azorean wine trade with Russia and northern Europe. The old varieties of vine are still to be found on Terceira, Graciosa and Pico, but the efforts of the wine-growers' cooperatives are now concentrated on reviving production of 'verdelho', an aromatic wine with good keeping properties made from Isabella grapes.

The sweet potato, or 'batate', arrived in the Azores as long ago as the 16th century. Its origin is rather obscure; according to some sources, the plant was brought by the inhabitants of Easter Island to Polynesia by way of Peru. Unlike the true potato, which is actually a thickening of the part of the stem below the soil, the sweet potato is a thickening of the root proper. The massive, often bizarre-shaped tubers weigh between one and four pounds apiece. Their starch content varies from 8 to 22%, the sugar content from 15 to 34%, whereby the tubers with more sugar contain less starch. The sweet potato was followed by the yam, a perennial with thick, starchy tubers showing superficial similarities which have sometimes led to confusion between the two. It belongs to the genus Dioscorea, named for the scribe Dioskurides whose writings in the 1st century A.D. on medicinal plants and their effects were greatly valued in the Middle Ages.

e um teor em açúcar que vai de 15 a 34%. Assim, os tubérculos quanto mais ricos forem em açúcar, menos amido contêm. O parente próximo da batata-doce é o inhame – uma planta perene com grossos tubérculos ricos em amido – o qual, apesar da semelhança com a batata no seu aspecto aéreo, não deve ser com ela confundido. Pertence à família das dioscoreas, assim chamada do nome do escritor Dióscoro que, no século I depois de J.C. enalteceu as virtudes curativas das plantas cuja contribuição para o bem-estar tanto aproveitou ao homem da Idade Média. As laranjas e os limões são também de origem estrangeira. As primeiras parecem convir excelentemente ao clima atlântico. As ricas colheitas do passado permitiram exportações rendosas para os EUA e para a Inglaterra. Tudo terminaria infelizmente em 1875 após a eclosão de uma doença que destruiu os pomares, e na altura em que a concorrência das laranjas espanholas de Valência se tornou deveras agressiva. Faltando as matérias primas, a agricultura teve apesar de tudo que continuar a ser a primeira actividade. Em São Miguel, os laranjais alternam com as plantações do chá introduzido em 1870, e de tabaco que Colombo encontrara nas Bahamas. As variedades produzidas na ilha são sobretudo o Burly, o Kentucky e um pouco

Later imports were lemons and oranges. The latter in particular thrived well in the Atlantic climate, and the plentiful harvest soon made it possible to start a lucrative export of the fruit to North America and the British Isles. In 1875 this began to decline, as a result partly of a disease affecting the orange groves and partly of competition from the orange-growers of Valencia. Nevertheless, agriculture and fruit-growing remained the mainstay of the economy for lack of any mineral resources. On São Miguel, the orange groves gave way to tea plantations – the tea plant had been introduced in 1870 – and tobacco, which was originally discovered by Columbus on the Bahamas. The main varieties that do well on São Miguel are Burley, Kentucky and to some extent Virginia. Color and aroma depend on the drying process, carried out in open sheds or specially built cabins. The subsequent stages of the process call for great care and include washing, sterilization and further drying, after which the leaves are stored pressed into casks for three years at a controlled temperature. This last process is essential for good fermentation and homogeneity of the resulting tobacco. Sorting can then begin and is followed by blending under expert supervision with varieties from Sumatra, Java, San Domingo and

de Virgínia. A secagem ao ar livre em dispositivos próprios, ou em estufas especiais dão-lhe a cor e o aroma peculiares. Os trabalhos delicados que se seguem compreendem a lavagem, esterilização e secagem, após o que as folhas são prensadas em cascos a um certa e determinada temperatura durante três anos, condição para se obter uma boa fermentação e a homogeneização do tabaco. Só nessa altura começa então a escolha e a mistura com variedades estrangeiras de Sumatra, Java, São Domingos e Colômbia de modo a chegar a um produto com gosto natural e bem aromático.

A cultura do trigo é de antiga tradição, mesmo se não voltou a encontrar o desenvolvimento que atingira nos séculos XV e XVI quando foi chamada a suprir a falta de cereais sentida em Portugal. Após a ceifa, semeava-se no mesmo campo amendoim de origem brasileira; esta cultura está hoje em regressão. Fructuoso menciona já o tremoço semeado no Inverno para enriquecimento da terra. Na Primavera, logo que a planta está coberta de flores brancas, o camponês leva o gado, como na Antiguidade, para pastar o tremoço no campo. O milho, vindo dos EUA no século XVII, conheceu mais lato desenvolvimento graças à produção continuada, às variadas possibilidades de aproveitamento do grão

Columbia to obtain the desired natural and highly aromatic flavor.

Wheat has a long tradition of cultivation on the archipelago, though it has never regained the importance it had in the 15th and 16th centuries, when exports made their contribution to the cereal needs of the Portuguese mainland. After harvesting, the fields were formerly planted with groundnuts (arachis), which came originally from Brazil; today however this crop is declining in importance. Lupines were mentioned even by Fructuoso and are planted to enrich the soil during the winter months. When they come into bloom in the spring, it is time for the farmer to drive his cattle onto the fields where – as in ancient times – they can take advantage of this leguminous fodder. Of all crops however, the most widespread is Indian corn (maize), introduced from North America in the 17th century. Its great value lies in the fact that it can be cultivated continuously, not to mention the many ways in which the grains can be used as food for man and animals – even the leaves, fiber and stems furnish animal feeds. Often cultivated in the same fields as Indian corn are potatoes, beans, sweet potatoes and soybeans, the last-named a favorite fodder for horses. Indian corn, now occupying third place

para o homem e para os animais, assim como das folhas, fibras e caule para forragem. Geralmente, nos campos de milho, crescem também o feijão-verde, a batata-doce, a batata corrente e a fava, esta última apreciada para rações de gado cavalar. O milho, que ocupa hoje o terceiro lugar na produção mundial de cereais, precisa de uma temperatura de germinação bastante elevada. Embora com um clima húmido, uma Primavera pluviosa e águas telúricas que dão a São Miguel as condições ideais para a sua cultura, a produção de milho diminui por razões de ordem económica. Os serviços responsáveis pela experimentação de novas variedades contam com os híbridos para solucionar o problema.

No fim do século XIX, a cultura da beterraba sacarina adquiriu certa importância. As suas raízes frescas contêm 16 a 18% de sacarose. O suco açucarado é extraído das beterrabas cortadas em fatias finas e, uma vez purificado e engrossado, transformado pelo vácuo em açúcar cristalizado. Os restos saídos da prensa servem de forragem. Outra utilização da beterraba sacarina começou em 1905 com a fábrica de destilação Santa Clara, em Ponta Delgada, que já antes extraía também álcool da batata-doce.

Outrora, o linho tinha importância económica. Esta planta de flor azul celeste, originária do Oriente, era

among the world's most important cereals, needs a fairly warm climate to germinate well. On São Miguel, despite the relatively high temperature and humidity, the ample rainfall in the spring and the presence of tellurium in the water, economic factors are causing a decline in production. Farmers are hoping that this can be countered by the planting of new hybrid varieties.

Towards the end of the 19th century, sugar beet began to assume economic importance. The fresh

provavelmente já conhecida no princípio da Idade da Pedra. A variedade cultivada desde 1828 é a da Nova Zelândia (phormium tenax) que atinge cerca de 2,5 m de altura e dá fibras sólidas embora com menos elasticidade. O incremento do algodão e das fibras sintéticas fez porém decrescer o interesse suscitado antes pelo linho.

O pastel dos tintureiros (isatis) outrora rentável desapareceu dos campos. O comércio do índigo natural, do qual durante muito tempo Portugal tivera o monopólio, começou a perder terreno desde que a indústria química conseguiu fabricar corantes sintéticos de alta qualidade a preços moderados.

Em contrapartida, a procura continental em carne e lacticínios levou o camponês a utilizar as terras para a criação de animais e para o pasto. O espaço limitado exige adubos e nutrientes de modo a aumentar o rendimento. É característica a imagem das vacas pastando em perfeita verticalidade ao longo das encostas onde as estacas às quais estão presas pouco são deslocadas de maneira a que a preciosa pastagem possa ser totalmente aproveitada. Os estábulos são raros aqui e os animais passam o ano inteiro no exterior. A criação de gado é uma das mais importantes e das mais antigas fontes de receita, mas Fructuoso nota já que as grandes manadas contribuem

beets contain 16–18% of sugar (sucrose). They are cut into strips out of which the juice is pressed, then purified and concentrated. The sugar is obtained by crystallization in vacuo, while the beet residues are used as cattle fodder. In 1905, the Santa Clara distillery in Ponta Delgada, whose earlier business was the extraction of alcohol from sweet potatoes, began a similar process with sugar beet.

Another plant of economic importance is the blue-flowered flax, from which linen is made. Of Oriental origin, it was probably used by Neolithic man. On the Azores, the New Zealand variety (Phormium tenax), cultivated since 1828, grows to a height of up to 8 feet and yields tough but not very elastic fibers. Cultivation of flax has suffered considerably from the competition of cotton and synthetics.

No longer grown, but formerly a profitable crop, is dyer's woad (Isatis). The trade in natural indigo blue, in which Portugal long enjoyed a monopoly, died out when the chemical industry produced the same dye of better quality synthetically at a lower price.

On a more hopeful note, the increasing demand from the mainland for meat and dairy produce has led farmers to turn more and more to cattle-raising

para um excesso de carne e de leite. Com os capitães-generais este ramo da economia seria planificado a partir de 1766. Novas raças bovinas foram importadas e novas pastagens semeadas a título experimental. A fundação da Sociedade Promotora de Agricultura Micaelense levou à importação para a maior das ilhas de gado de origem holandesa e americana e daí ao cruzamento holando-micaelense. A partir de 1876, começa a fabricação industrial de manteiga, caseína e queijo. Particularmente apreciado é o queijo de São Jorge cujo sabor o fez bem aceitar mesmo no continente. Actualmente, o leite em pó e os produtos dietéticos vieram completar a gama dos produtos lácteos insulares. Uma das acções futuras será melhorar estes artigos naturais, no que respeita ao peso e volume, de modo a facilitar-lhes a rentabilidade.

Comparativamente à agricultura, os recursos provenientes da pesca, exercida ainda de maneira tradicional, são apenas limitados. Isto deve-se certamente ao facto das costas serem quase sempre abruptas, o mar agitado nos meses de Inverno e as angras insuficientemente protegidas. É na ilha do Pico, que dispõe de fábricas de conservas, onde a pesca é mais importante; no Corvo, só satisfaz as necessidades vitais da população. O peixe fresco – chi-

and dairy-farming, though the limited area of suitable land has meant that fertilizers and special fodders have to be used to raise yields. The characteristic picture is that of cattle grazing in a descending line on the hillsides. To ensure maximum utilization of the valuable meadowland, the animals are tethered, the pegs being moved only a short distance each day. Cattle sheds are a rarity, for the animals can be kept outdoors the whole year round. Cattle-raising is one of the oldest and most important sources of income: from Fructuoso once again, we learn of the large herds of cattle, of meat and milk in abundance. From 1766 onwards, under the Captains-General, this branch of industry was well planned: new breeds of cattle were imported, the meadows sown with more suitable varieties of grass. The founding of the 'Sociedade Promotora de Agricultura Micaelense' on São Miguel was followed by the importation of breeding bulls from the Netherlands and America and the raising of the cross-bred 'holando-micaelense' cattle. 1876 saw the start of butter, casein and cheese production on an industrial scale. A favorite cheese is that from São Jorge, enjoyed by connoisseurs even on the Portuguese mainland. More recently, milk powder and dietetic preparations based on milk have supplemented the

charro, cavala e abrótea – serve sobretudo para o consumo local, enquanto que a maior parte do atum pescado se destina às fábricas de conservas. A produção de agar-agar a partir de algas marinhas é feita de maneira industrial. Um ar de romantismo envolve a pesca do cacholote – praticada no Verão ao preço de riscos enormes – mas o seu rendimento é relativamente baixo. Os barcos a remo, muito estreitos, com cerca de 10 m de comprimento, possuem uma vela manobrável e numerosos utensílios especiais para a caça; a corda que segura o arpão espera enrolada no fundo da baleeira o momento do seu lançamento à mão.

De um lugar alto da costa, os vigias espreitam o esguicho do cetáceo e desde que o grito «baleia» ecoa, os baleeiros precipitam-se para os barcos e partem ao encontro de uma aventura incerta. Da cabeça dos animais abatidos extrai-se uma substância branca oleosa, o espermacete, contendo sobretudo um ester acetílico de ácido de palmitina; os dentes do maxilar inferior servem de marfim, a gordura dá óleo e os ossos farinha. O mais precioso é contudo o âmbar cinzento, um produto odorante do metabolismo do cachalote. Os mouros de Espanha utilizavam-no já no fabrico de perfumes; âmbar é aliás palavra de origem árabe.

range of Azorean produce. A task for the future will be to work up milk and its derivates to high-quality products of low weight and volume and thereby put them to more efficient use.

Compared with agriculture, the still rather archaic fishing industry contributes little to the Azorean economy. This is probably due to the steepness of most of the coastline, the rough seas often encountered in winter and the sparsity of bays offering adequate shelter. On Pico, fishing and the canning of fish are fairly important occupations, while on Corvo they are a necessity of life. Fresh fish such as stickleback, mackerel and abrotea are caught mainly for local consumption. Tunny is for the most part factory-canned. The manufacture of agar-agar from seaweed is also carried out on a large scale.

The hunting of the sperm whale, an activity that has given rise to many a local legend, is pursued in the summer off the Azores in highly dangerous fashion – and the catch is correspondingly meager. The whale-boats are extremely narrow craft over 30 feet long and propelled by oars with the assistance of a sail whose mast is stepped when required under way. In addition to the hand-launched harpoon with its coiled-up line, the boats carry a large assortment of special gear. As soon as the look-out men

O ananás (ananassa sativus) veio da América do Sul para São Miguel em meados do século XIX. Ananás é termo guarani. Nas estufas aquecidas unicamente pelo sol, ele era já cultivado em 1864 como ornamento para as casas ricas. Porque os laranjais foram atacados pela moléstia, os micaelenses tudo fizeram para incrementar a exportação de ananás. Em 1867, cerca de um milhar de frutos deixaram já a ilha com destino à Inglaterra e ao norte da Europa e, quarenta anos mais tarde, a exportação atingia um milhão. É sobretuto próximo de Ponta Delgada, em parte também perto de Vila Franca do Campo que se encontram as estufas rectangulares, cobertas de vidros caiados, dispostos em duas águas com uma inclinação aproximada de 33 graus, cujos alboios servem para regular a temperatura e a ventilação nos últimos momentos do crescimento. De cada lado das estufas, uma pequena porta permite o acesso a partir de um corredor empedrado. Este caminho separando as duas plantações é traçado sobre um sistema de canalizações que dão a humidade necessária, quase sempre das águas pluviais. As camas fazem-se à custa da sobreposição de rama verde de incenseiro, terra velha (já utilizada noutras plantações e rica em matéria orgânica vegetal), mondas (folhas de ananás, fetos, ervas, caruma de

high above the shore sight the blowing of a whale, comes the cry of 'baleia', and the whalehunters leap into their boats for what is certain to be an adventurous encounter. The prize yields principally the oil-like spermaceti, consisting mainly of the acetyl ester of palmitic acid; the teeth furnish a substitute for ivory, the fat an oil, the bones fishmeal. The most highly valued product however is undoubtedly the gray ambergris, an intestinal substance with an agreeable odor; its use in perfumery originated with the Moors in Spain, who gave it the name 'anbar'. The pineapple plant (Ananassa sativus) was brought to São Miguel in the mid-19th century from South America. The name Ananassa comes from the 'nanas' of the Guarani Indians of Brazil. Cultivation on the island began in 1864 in greenhouses heated only by the sun, and served to supply the well-to-do 'micaelense' with an exotic fruit. When a virus disease destroyed the orange plantations of São Miguel, the growers made a great effort to establish an export trade in pineapples. This was crowned with success, and by 1867 as many as 1000 of the fruits already left the island en route for the British Isles and northern Europe. Forty years later, the annual export figure had reached the million mark. The square pineapple greenhouses are to be

pinheiro, etc.), leiva trazida dos matos. A cultura compreende três fases sob os cuidados do estufeiro, profissão que passa tradicionalmente de pais a filhos. Em pequenas estufas crescem os brolhos (tocas de ananás), à distância de uma mão. Recobertos de terra, são regados primeiro todos os dias e depois, durante duas semanas, dia sim dia não e mantidos sempre a uma temperatura constante no interior de 38 °C. Os rebentos saem um mês após, e meio ano depois são desmamados, desligados da toca-mãe para produzirem suas próprias raízes. A segunda fase que dura quatro meses exige cuidados especiais: desfolhagem, rega, protecção contra os insectos, regulação da temperatura. Na terceira fase são transplantados para a estufa, mas agora a 50–60 cm de afastamento entre os pés. A planta precisa de rega diária nas duas primeiras semanas, e depois, quando cresce um pouco, passa a exigir menos água; durante a maturação a rega cessa. Para que todos os ananases floresçam ao mesmo tempo, o estufeiro procede três a quatro meses depois da plantação à operação do fumo. Durante vários dias, ao anoitecer, ele queima folhas verdes e serrim numa pequena chaminé no interior da estufa que só é ventilada na manhã seguinte. Cerca de um ano se passará entre esta última plantação e a colheita dos per-

found mostly in the region of Ponta Delgada, but also around Vila Franca do Campo; typical is the whitewashed roof inclined at an angle of about 30 degrees and the small apertures with their hinged flaps for regulating the temperature and ventilation in the final stages of ripening. At each side there is a small door, the two connected by a paved path between the twin pineapple beds. Underground piping supplies the necessary water, usually collected from the rains. The plants grow in soil consisting of a mixture of green 'incenseiro' twigs, earth from earlier plantations and rich in organic substances – pineapple leaf, needles, fern, heather – together with 'leiva', a special kind of peat from the island's mountain heaths. Cultivation proceeds in three phases under the supervision of an 'estufeiro', whose profession is traditionally a family one. The first phase, in a small greenhouse, consists of the planting out of shoots at the base of the parent plant about a hand's width apart. These are covered with earth and watered at first daily, later every other day, for two weeks, with the temperature maintained at 100 °F. After a month the seedlings appear, and six months later they are separated from the parent plant and are able to grow their own roots. In the second phase, lasting four months, the

fumados frutos, aos quais não falta sequer a coroa verde para que sejam um verdadeiro prazer real.

Como para os outros ramos da economia, aqui também surgem as dificuldades provenientes da concorrência nos mercados internacionais. É verdade que o ananás dos Açores é inigualável em sabor e doçura, mas a cultura em estufa dá muito trabalho e

young plants are stripped of their leaves, watered and closely examined for insect pests, all at a carefully regulated temperature. The third phase consists of planting out in a larger greenhouse at intervals of 20–25 inches. During the first two weeks the plants require daily watering, then rather less often in the later period of growth, and not at all during the ripening phase of the fruit. To ensure that all the fruits ripen at the same time, the 'estufeiro' subjects the plants 3–4 months after planting out to a smoking process carried out by burning green leaves mixed with wood shavings in a small brazier inside the greenhouse, which is not ventilated again until the next morning. The result – about a year after planting out – is an aromatic fruit whose crown of green leaves can truly be said to symbolize its superb flavor.

As in other branches of industry however, we again see how difficult it is to remain competitive on the international market. The Azorean pineapple is justly recognized for its outstanding taste and sweetness, but greenhouse cultivation is a high-cost, labor-intensive process, and the producers find it difficult to compete successfully with the cheaper open-air growers in hotter climates.

Internal communications within the archipelago

redunda por isso cara; a concorrência dos frutos cultivados ao ar livre no continente africano exerce pois uma pressão considerável. As ilhas dispõem de uma boa rede de autocarros e de navios; Ponta Delgada não é somente porto de transbordo: possui depósitos de combustíveis para fornecimento à navegação transatlântica e lá se fazem reparações marítimas.

O porto do Faial é também muito frequentado. As companhias de telefones desenvolveram em 1893 grande actividade na baía da Horta quando da instalação dos cabos submarinos de três continentes. Hoje, com o progresso da técnica de comunicações por satélite, a informação mundial reveste porém novas formas.

O arquipélago goza de uma importância particular no meio do Atlântico. Depois da construção da primeira – e apenas provisória – base americana em Ponta Delgada, em 1918, os americanos, ingleses e a NATO estabeleceram testas de ponte nas diferentes ilhas.

A esperança de uma melhoria da economia repousa sobre a construção de novos aeroportos insulares. Esforços são envidados para a cultura de pepinos, tomates e feijão-verde nos meses de Inverno, durante os quais mesmo os morangos e os maracujás

are good. There are adequate bus services on all the islands, and inter-island links by sea and air are well developed. Ponta Delgada is not only a commercial port: repairing and fuelling facilities are also available for transatlantic shipping. Faial too has a much-used harbor. The island became suddenly a much busier place when in 1893 the telegraph companies joined the cables from three continents in the Bay of Horta. Nowadays technological advances – in particular communications satellites – have largely taken over the role played earlier by the submarine cable.

The strategic position in mid-Atlantic occupied by the Azores has never ceased to lend importance to the archipelago. Starting in 1918, when the U.S.Navy set up a temporary base at Ponta Delgada, the American, British, French and now NATO forces have all established bases on various islands.

Hopes of an improvement in the Azorean economy are centered on the building of new airports. In this connection, efforts are being made to extend the winter planting of early vegetables such as cucumbers, tomatoes and green beans, along with strawberries and passion fruit, both of which ripen here under glass or plastic cover. Better air connections would make it possible also to export more fresh fish

amadurecem ao abrigo de estufas e tendas de plástico. As rápidas comunicações aéreas permitem exportar peixe fresco e marisco sobretudo para o Canadá, e abrem novas perspectivas à floricultura. Mas estes transportes para tão longe encarecem os produtos e a sua rentabilidade é discutível. As distâncias e a infraestrutura só permitem um turismo limitado: atrair estrangeiros carreando divisas parece assim problemático. Em contrapartida, este mundo insular é um eldorado para os individualistas que apreciem uma natureza verdadeiramente «natural» e contactos humanos cheios de espontaneidade.

A expansão económica limitada aliada a uma actividade vulcânica latente provoca uma emigração bastante elevada. Assim por exemplo após a erupção dos Capelinhos, no Faial, em 1957–1958, mais de 5000 pessoas emigraram só no distrito da Horta. A terra tremeu de novo no dia primeiro do ano de 1980. A catástrofe atingiu sobretudo a Terceira e a sua capital maravilhosa e cheia de vida, mas causou também prejuízos importantes em São Jorge e na Graciosa. Milhares de pessoas deixam anualmente o arquipélago açoriano para irem viver nova existência nos EUA, Canadá e Venezuela, expatriação que é aliás geralmente coroada de su-

and other seafoods, in particular to Canada, as well as to open up new markets for the islands' fresh flowers. The long hauls involved however add considerably to the cost of Azorean produce, often to the extent of making sales unprofitable. Along with the lack of an adequate infrastructure, they are also the reason why foreign visitors come only in limited numbers: it would probably be difficult to create a tourist industry that would bring in any worthwhile amount of foreign currency. On the other hand, this is just the reason why the archipelago is a paradise for the individualist who values natural surroundings and spontaneous human contacts.

The limited economic growth of the islands, along with the continuing risk of volcanic and seismic activity, have in latter years caused many Azoreans to quit their homeland. Thus after the eruption of the Capelinhos volcano on Faial in 1957/58, alone some 5000 persons left the district around Horta. The earthquake of New Year's Day 1980 caused great damage, particularly to Terceira and its elegant and lively capital, but also to São Jorge and Graciosa. The annual total of emigrants runs into thousands; most go to the United States, Canada or Venezuela to start a fresh life, usually with success, for the Azoreans are well known for their industry

cesso, o que prova a bem conhecida capacidade de trabalho e poder de iniciativa dos ilhéus. Muitos porém regressam um dia apesar das vicissitudes e da incerteza da vida na ilha idílica que os viu nascer.

and initiative. But it is not surprising that there are many who in the end return to 'their' idyllic island despite all its discomforts and uncertainties.

LENDAS E TRADIÇÕES

Lenda e misticismo eis as duas razões que levaram o homem à procura da origem do arquipélago. Não se situava ele para lá das colunas de Hércules, na lendária Atlântida, esse continente dotado de uma perfeita organização estadual que – como conta Platão – desapareceu no oceano por via de um enorme cataclismo? Os homens da Idade Média estavam possuídos pelo desejo de encontrar uma ilha paradisíaca na imensidão do Atlântico. Animados pelo espírito da descoberta, eles dirigiram os barcos por mares desconhecidos até remotas paragens. Não era a esperança de achar um novo eldorado com condições ideais de vida entre a vegetação exuberante, um subsolo riquíssimo que os impelia? O povoamento das nove ilhas dos Açores mostrava já grandes progressos, quando se levanta o rumor – apoiado aliás na indicação de uma antiga portulana – da existência de uma décima ilha. Vários navegadores intrépidos atrevem-se a procurá-la. Chegaram-nos documentos atestando a autorização real para tal viagem, por exemplo a concedida a Manuel da Silveira, neto do primeiro capitão do Faial, tido erradamente por descobridor da nova ilha, ele que nunca encontrara nenhuma. João da Fonte es-

MYTHS AND CUSTOMS

From earliest times the archipelago of the Azores has been invested with an aura of myth and mystery. Did not the legendary Atlantis – that consummate state which Pluto tells us was engulfed in the waters of the ocean as the result of a violent natural disaster – lie somewhere beyond the Pillars of Hercules? Among the peoples of medieval Europe there was a widespread longing to find an island paradise in the expanse of the Atlantic. Urged by the spirit of discovery, they sailed their ships far out in the unknown waters in search of foreign shores. Perhaps they were spurred on by the hope of finding a new, untroubled world where life could be enjoyed under ideal conditions, where the fruits and treasures of the earth were in abundance.

Much later, when colonization of the Azores was already well under way, rumors of the existence of a tenth island began to abound, and many dauntless seafarers sailed in search of it. The source of these rumors is to be found in old Portuguese charts, and documents granting royal authority for such voyages still exist. One such expedition was that undertaken by Manuel da Silveira, grandson of the first Captain of Faial, who for some unexplained reason

banjou toda a fortuna em suas vãs tentativas para encontrar a ilha misteriosa. Em 1592, Gonçalo Vaz Coutinho recebeu do rei licença para aportar a uma ilha que, em diferentes ocasiões, se podia enxergar de São Miguel. Em 1649, uma terra surgiu durante um certo tempo diante da Terceira, e, como o facto se reproduzisse em 1770, um barco fez-se ao mar para desvendar o mistério. A busca dos destemidos mareantes foi no entanto infrutífera: eles haviam corrido atrás de uma miragem própria a certas condições atmosféricas e que se traduz pela imagem de uma ilha recortada à superfície das águas ou nas camadas aéreas próximas do mar.

Quando, no início do século XVI, o arquipélago se torna ponto de escala apreciado das caravelas regressando da Índia, abarrotadas de especiarias, as águas açorianas começam a atrair toda uma legião de aventureiros duvidosos. Os corsários não vinham só pelas preciosidades que os barcos mercantes carreavam, mas investiam também as aldeias, saqueavam casas e igrejas. Assim principia o capítulo sanguinário da história da pirataria. A do Corvo é bem conhecida: os piratas assaltaram a ilha e raptaram um jovem ao qual puseram o nome de Ali. Este, que havia aprendido com a mãe – uma feiticeira – as artes mágicas, foi ajudado pelos maus es-

became known as 'discoverer of the new island' despite his failure to find one. Another was led by João da Fonte, who squandered his whole possessions in vain efforts to discover the mysterious island. In 1592, Gonçalo Vaz Coutinho obtained the king's authority to sail in search of an island the inhabitants of São Miguel claimed to have espied from time to time on the horizon. From Terceira came reports in 1649 that a distant coastline had become visible for a longish period, and when the same phenomenon again appeared in 1770 a ship was dispatched in an attempt to solve the mystery. The expedition was in vain, for like the islanders the participants had been deceived by a mirage which under certain atmospheric conditions took the form of a land mass either on the surface of the ocean or in the sky above it.

At the beginning of the 16th century the archipelago became a favorite port of call for caravels returning from the Orient with their holds filled with valuable spices, and these attracted many undesirable visitors to the islands. Among them were the dreaded corsairs, who came with the intention not only of plundering the merchantmen but also of pillaging the towns and countryside. This was the start of the bloodiest chapter of the islands' history, that of pira-

píritos em suas proezas deploráveis. Quando os piratas, no decorrer da faina de abordagem voltaram

a cruzar as costas do Corvo, Ali decidiu desembarcar para ir vingar a má reputação da mãe na pessoa de um padre. Mas, ao atingir o cimo do rochedo mais alto, escorregou e caiu no precipício. Quando

cy. Among the many legends arising from this epoque there is one that relates how on Corvo, pirates who attacked the island abducted a young man whom they called Ali. He had learnt the black arts from his mother – a witch – and was able to enlist the aid of evil spirits in his nefarious activities. When their raiding expeditions again took the pirates to Corvo, Ali went ashore with the intention of avenging himself on the local priest for the calumny formerly heaped upon his mother. Barely had he scaled the topmost bluff than he missed his footing and fell mortally injured onto the rocks below. As the pirates espied his now lifeless body. they set sail and fled. Soon afterwards, a shepherd found the severed head and the grisly relic was duly interred. But the legend tells that Ali found no peace, for long after he could nightly be heard wailing above the noise of the breakers. Only when Ali's spirit had been exorcised by the priest did his remains finally rest for ever in his grave.

In the middle of the 18th century the growth of whaling gave rise to many adventurous tales. The importance of this industry becomes clear when we read that in 1768 some 200 whaleboats from New England appeared in Azorean waters to compete with the islanders on their rich expanse of the Atlan-

os homens da equipagem descobriram o cadáver, içaram as velas e fugiram. No dia seguinte, um pastor encontrou na margem a cabeça decepada e o macabro achado foi então enterrado. Mas Ali não pôde encontrar a paz eterna. Noites e noites seus gritos eram ouvidos por sobre o marulhar das ondas. Foi só depois que um padre do Corvo proferiu as rezas e o libertou dos maus espíritos que Ali obteve descanso e permaneceu na terra.

A pesca do cachalote, começada em meados do século XVIII, é uma nova fonte de histórias curiosas. A importância desta actividade é tal que em 1768 se encontram já nas águas açorianas cerca de 200 baleeiras, vindas da Nova Inglaterra, que disputam aos insulares a rendosa faina. Hoje ainda os pescadores de cachalote exercem a arriscada profissão como nos tempos passados, com aquela destreza e força muscular que exige o lançamento do arpão de bordo de um estreito barco a remos correndo veloz sobre as águas.

Outro rico manancial de lendas é a profunda crença religiosa que os golpes incalculáveis da sorte – a tremenda actividade vulcânica através dos séculos – arreigou cada vez mais na população. Eis uma bem conhecida história ligada à convicção religiosa: Genádio, o rico arcebispo português ao qual atribuíam

tic. Even today, Azorean whalers still pursue their dangerous occupation in the manner of their forebears: much skill and a fair amount of muscular strength are necessary to launch the harpoon single-handed from the narrow boat as the oarsmen drive it swiftly over the waves.

The religious fervor of the inhabitants – its intensity nurtured by the unpredictable behavior of the islands' volcanoes over the centuries – is yet another source of legend, and one of the best-known belongs to this category. It relates how Genádio, a

forças sobrenaturais encontrou à porta da catedral uma criança que desconhecidos lá haviam depositado pela calada da noite. Genádio recolheu-a e educou-a como uma princesa. Quando os mouros ocuparam a península ibérica, o arcebispo, acompanhado pelos seus seis bispos, fugiu com a criança para uma ilha longínqua onde erigiram sete cidades. A fim de proteger a idílica solidão e a sua cobiçada fortuna, Genádio rodeou a ilha por magia de um véu impenetrável que a tapava da vista dos mareantes indiscretos. Tudo se passou sem problemas até ao dia em que uma caravela do Príncipe Henrique se aproximou da ilha com suas velas brancas desfraldadas onde brilhava a cruz encarnada de Cristo. A fé dos navegadores desfez então a magia e uma terrível explosão do vulcão que dormia no seio da terra destruiu o reino enfeitiçado. Dois lagos e um nome bem sonante recordam essa época: Sete Cidades.

Muitas das lendas açorianas foram inspiradas pelo clima e pela geografia locais. Quando a bruma e os vapores dos géiseres planam misteriosamente sobre uma vegetação subtropical luxuriante, os homens não podem senão voltar-se para o misticismo. É assim que um mistério se esconde sob as águas azuis e esmeralda do lago de São Miguel: o segredo da filha

wealthy Portuguese archbishop credited with supernatural powers, found a child abandoned on the steps of his cathedral whom he adopted and reared with the care worthy of a princess. When the Iberian peninsula was overrun by the Moors he fled with the maiden and his six bishops to a distant island where he founded seven cities. To protect the idyllic seclusion of his retreat and his desirable possession Genádio used his supernatural powers to hide the island from inquisitive seafarers behind an impenetrable veil. This succeeded until the arrival one day of a caravel of Prince Henry the Navigator, its sails emblazoned with the Cross of the Order of Christ, finally broke the ban. But at this moment the volcano lying hitherto dormant below the island erupted in an explosion that utterly destroyed the archbishop's domain. All that now remains of it – on the island of São Miguel – are two lakes and a name: Sete Cidades (The Seven Cities).

It is only natural that many legends should have their origin in climate and geography: man is prone to mystical fantasies in a land where sea mist and volcanic steam swirl among a wealth of subtropical vegetation. Thus the two lakes – azure-blue and emerald-green – of São Miguel have given rise to yet another legend, that of the beautiful princess of Sete

do rei das Sete Cidades. A bela gostava de percorrer vales e prados. Durante um dos seus passeios conheceu um jovem pastor de quem se enamorou. Mas seus amores não agradaram ao pai que havia já prometido a filha a um monarca amigo. Quando a ruptura foi inevitável, os amantes choraram tanto que as lágrimas formaram dois lagos para sempre reunidos. Outra história conta o seguinte das suas margens pitorescas: o casal real andava preocupado porque do enlace não haviam nascido filhos. Uma noite, estranha aparição revela ao rei que uma menina lhe estava prometida mas que ele não deveria vê-la antes do seu vigésimo aniversário. O sonho foi realizado e o rei mandou construir uma fortificação com sete cidades onde a donzela cresceu rodeada de desvelos, longe do pai. Mas o riso e a música passavam os muros e dilaceravam o coração do rei. A tal ponto que um dia, não podendo mais conter o desejo de ver a filha, ele se pôs a caminho apesar de todos os avisos. Mal entreabriu porém a porta das Sete Cidades um medonho tremor de terra abalou a ilha inteira. Bocarra enorme acabava de se abrir num vulcão; vagas alterosas submergiram o reino. Só ficaram dois lagos: no fundo do primeiro acha-se o chapeuzinho azul da filha do rei; no do doutro, seus chapins verde-esmeralda.

Cidades who loved to wander through the dales and meadows of her father's domains. It was on one such occasion that she met and became enamored of a young shepherd, a liaison on which the king looked with particular disfavor in that he had already promised his daughter in marriage to a friendly prince. When the lovers learnt they must part forever they wept so copiously that their tears formed the two lakes which have remained eternally united.

Another fable relates of the king and queen whose great sorrow was that their marriage was a childless one. One night the king had a vision in which he was promised a daughter on condition he refrained from setting eyes on her before her 20th birthday. The promise was fulfilled, and the king built a fortress of seven cities where – separated from her father – she grew up surrounded by every loving care. But the king's heart was torn with longing, for all too often his ears were assailed by the sound of music, gaiety and laughter coming from the fortress walls. Unable to resist the desire to see his daughter any longer, he finally cast aside all warning and made his way to the seven cities. Hardly had the portal opened however than a fearful quaking shook the island. A volcano erupted so violently that the king's domains disappeared under a deluge of water. All

Certas particularidades etnográficas dos açorianos reportam-se a velhas tradições lusitanas, mesmo se o isolamento nelas inscreveu algumas diferenças. É por exemplo sabido que se pode identificar a ilha de origem do ilhéu através da pronúncia. Embora em contacto permanente com o mar, ele voltou-se mais para o interior da terra e dedica-se de preferência à agricultura. A maior parte dos açorianos nunca entraram num barco. Algumas pequenas localidades de pescadores formam porém uma excepção já que ali o mar é base de toda a existência. A cozinha açoriana é variada: sopa de peixe, chicharros, bacalhau e polvos, assim que muitos legumes, caldo de feijão, cozidos e fumados. Graças à cultura do milho tão comum nos Açores, ali se encontra a broa saborosa. O queijo fresco e o leite de cabra são muito apreciados. O segredo de tantos pratos requintados é propriedade das cozinhas de antigos conventos. A pastelaria oferece a massa sovada, os bolos lêvedos das Furnas, mas, sobretudo, as queijadas douradas de Vila Franco do Campo, as mais afamadas. A isto vêm juntar-se um vinho americano apetecido e aromático, o verdelho da Graciosa, e muito especialmente o do Pico que deliciou já os nobres apreciadores da corte de São Petersburgo. As receitas dos licores de laranja, figo e maçã devem provir dos velhos

that remained were the two lakes: at the bottom of one lies the blue bonnet of the princess, at the bottom of the other her emerald-green shoes.

Many of the ethnographic peculiarities of the Azoreans have their origin in ancient traditions of the Portuguese motherland, though isolation has caused certain differences to appear. Thus the particular island where an Azorean was born is often betrayed by his accent. Although living close to the sea, the islanders have always been inward rather than outward looking, more inclined to agriculture

mosteiros. Não há nenhum bar ilhéu que não sirva o tradicional cálice de aguardente de bagaço ou de nêspera.

Todas estas iguarias são de rigor aquando dos festejos que se realizam sobretudo no Verão e na Qua-

than to fishing. Only few have ever been aboard a ship. An exception is the handful of fishing villages, where the sea is of course the 'bread-and-butter' of life. In Azorean kitchens we therefore find not only fish soup, mackerel, codfish and savory octopus but also cabbage, bean soup, stews and a variety of pork sausages. Thanks to the widespread cultivation of Indian corn, tasty lemon-colored bread cakes are everywhere available. Fresh cheeses and goat's milk are also favorite items.

But many of the innumerable sweet concoctions of the islands remain secrets of the old monastery kitchens. The most famous of traditional pastries are the 'massa sovada' and 'bolos lêvedos' of Furnas and, above all, the golden 'queijadas' of Vila Franca do Campo. They are best enjoyed with 'verdelhoa' from Graciosa and especially Pico, an aromatic wine made from the Isabella grape which formerly graced no less a table than that of the Tsar in St. Petersburg. The liqueurs prepared from oranges, figs and apples are also likely to have originated in the monasteries. The little glass of 'aguardente' – brandy distilled from the juice of grapes and medlars – is drunk everywhere in the islands' local taverns.

These culinary pleasures form an important part of

resma. Representações teatrais sob temas bíblicos e históricos alternam com corridas de touros, emociantes mas não sanguinárias, e as cavalhadas cuja origem remonta provavelmente aos torneios equestres mouriscos. O Divino Espírito Santo celebra-se desde a Idade Média: um ciclo de festas folclóricas com cânticos religiosos à mistura com cortejos de vitelos engalanados e distribuição ritual de pão, carne e vinho. A maior das festas insulares é no entanto a do Senhor Santo Cristo dos Milagres, em Ponta Delgada. Nessa ocasião, a população enfeita o adro e o convento da Esperança com gambiarras iluminadas, cheias de fantasia. Milhares de açorianos acorrem à cidade para confraternizarem durante vários dias.

Qualquer que seja a causa destas festividades, aquilo que sempre predomina é o desejo de manter estreitos os laços humanos e de criar, apesar da separação, um sentimento de verdadeira unidade.

Azorean festivals. They take place mainly in the summer, though some are Lenten events. The theater also plays its part on such occasions, when biblical and historical plays vie for public interest with bloodless but none the less exciting bullfights and the famous 'cavalhadas' or mounted contests, which are probably of Moorish origin.

The 'Divino Espírito Santo', a cycle of religious and folklore feasts in which singing, processions with decorated calves, and the ceremonial distribution of bread, meat and wine all play a part, stems from the Middle Ages. The most important festival however is the 'Senhor Santo Cristo dos Milagres' in Ponta Delgada. On this great occasion – for which thousands of Azoreans gather from all parts of the archipelago – the square in front of the 'Conventa da Esperança' is a remarkable spectacle with its festoons of lights.

Whatever the reason for an Azorean celebration, its most important raison d'être is always the desire for a convivial gathering that brings people together and fosters a feeling of solidarity among this widely scattered community.

CARAVELA PUBLICATIONS
BASEL / SWITZERLAND